LE GUIDE
DE LA
COMÈTE DE HALLEY

*Cette photographie de la comète de Halley
et de sa queue fut prise le 4 avril 1910.*

ISAAC ASIMOV

LE GUIDE DE LA COMÈTE DE HALLEY

L'histoire terrifiante des comètes

traduit de l'américain par
Paul Couturiau

ÉDITIONS DU ROCHER

Titre original :

ASIMOV'S GUIDE TO HALLEY'S COMET

Dépôt légal:
4e trimestre 1985

ISBN 2-89357-002-X

à Richard Winslow
qui m'incita à écrire ce livre

Ce tableau du XIXe siècle suggère que les anciens considéraient souvent les comètes comme des symboles d'épées géantes.

PRÉFACE

La comète de Halley a traversé le ciel des milliers de fois depuis que l'homme a commencé à scruter la voûte céleste. De retour, en moyenne, à tous les 76 ans, la comète a marqué, à la manière d'un pendule accordé au temps cosmique, la lente progression de l'humanité dans la connaissance du monde qui l'entoure. En même temps qu'il apprenait à connaître les différents objets qui peuplent son firmament, l'homme prenait conscience de la banalité de la place qu'il occupe dans l'Univers.

Mais pas plus que les oracles et les grands prêtres du passé, les scientifiques d'aujourd'hui n'ont réussi à percer tous les mystères des comètes. La comète de Halley est maintenant de retour au voisinage de la Terre. Lors de son dernier passage, en 1910, la science moderne en était encore à ses balbutiements. Revenue des confins du système solaire, la fameuse comète se dévoile pour la première fois au regard scrutateur de la technologie scientifique moderne. Une fois l'ensemble des observations compilé, il deviendra évident que le dernier passage de la comète nous en aura appris davantage sur sa nature véritable que ne l'avaient fait toutes ses apparitions antérieures.

On croyait autrefois que les grands bouleversements de l'histoire se faisaient à la faveur du passage de comètes dans le ciel. C'est un revirement dans le monde de la recherche scientifique qui accompagne ce nouveau passage de la comète de Halley. Ce ne sont plus, en effet, les Américains qui donnent le ton à l'étude de cet objet fascinant mais plutôt les Européens, les Japonais et les Soviétiques. Alors que la NASA a dû sacrifier à l'autel de l'austérité budgétaire son projet d'exploration de Halley, les autres grandes puissances ont réussi à lancer cinq sondes spatiales à la rencontre de la fameuse comète.

Bien que les objectifs des deux sondes japonaises soient relativement modestes, leur rendez-vous avec la comète de Halley constitue une importante réalisation pour les scientifiques de ce pays. Quant aux Soviétiques, ils n'en sont évidemment plus à faire leurs preuves dans le domaine de l'exploration spatiale. Les deux sondes Vega qu'ils ont lancées à la rencontre de la comète sont d'abord passées aux environs de la planète Vénus où ils ont laissé descendre des instruments scientifiques avant de poursuivre leur route. En passant à environ 15 000 kilomètres du coeur de la comète, c'est une vision globale de son noyau qu'elles transmettront. Quant à la sonde européenne Giotto, elle doit passer à moins de 200 kilomètres du coeur de la comète.

L'analyse des observations de chacune de ces missions devrait lever considérablement le voile de mystère qui de tout temps a entouré les comètes. En découvrant les secrets de la comète de Halley, ce sont des informations sur l'origine même de l'Univers que les chercheurs pensent obtenir. Il n'est donc pas étonnant de constater que ce dernier passage de la fameuse comète suscite un très grand intérêt dans la communauté scientifique mondiale. C'est en fait près d'un millier de chercheurs, répartis dans une cinquantaine de pays, qui profiteront de ce nouveau passage de la comète aux environs de la Terre pour l'étudier minutieusement.

Pour l'instant, les scientifiques s'accordent pour décrire les comètes comme n'étant rien d'autre qu'une « boule de neige sale ». Dans le cas de la comète de Halley, cette boule aurait un diamètre d'environ une dizaine de kilomètres. Ce n'est que sous l'effet des rayons du Soleil que cette neige sale s'évapore pour former une queue pouvant atteindre

400 millions de kilomètres. Un peu comme le paon qui déploie sa queue multicolore aussitôt qu'il se sait observé, ce n'est en fait qu'au moment où elle s'approche de l'immense projecteur cosmique qu'est le Soleil qu'une comète prend toute sa dimension. Pour quelques mois de gloire où elle embrasera le ciel au pourtour du Soleil, la comète de Halley devra passer plus de 75 années à effectuer un périple qui l'amènera aux confins du système solaire où ne règnent que le froid et l'obscurité.

Selon certains chercheurs, les comètes seraient en quelque sorte des fossiles formés de matériel créé en même temps que notre système solaire. En analysant ce matériel, ils espèrent comprendre mieux comment se sont créés notre Soleil et les planètes qui l'entourent. D'autres spécialistes prétendent au contraire que les comètes nous arrivent des confins de l'espace interstellaire. Elles auraient un jour été piégées dans le champ gravitationnel du Soleil après avoir erré en vagabond pendant des millions d'années.

Certains vont même jusqu'à prétendre que ce seraient des comètes, venues des points extrêmes du monde sidéral, qui auraient amené la vie sur terre en ensemençant notre planète de molécules organiques, il y a plus de quatre milliards d'années. Mais si certaines comètes peuvent apporter la vie, d'autres peuvent l'enlever. C'est ainsi qu'on attribue l'extinction massive des dinosaures, survenue il y a 65 millions d'années, à l'écrasement d'une comète sur la Terre. Cet écrasement aurait alors provoqué la formation d'un nuage opaque qui, en bloquant les rayons du Soleil, aurait amené un refroidissement néfaste de la planète.

Même si tout cela s'est produit des millions d'années avant la naissance de l'humanité, c'est peut-être là qu'il faut chercher les origines de cette peur instinctive que toutes les civilisations ont entretenue jusqu'à tout récemment relativement à ces visiteurs cosmiques. Quoi qu'il en soit, l'attitude des différentes civilisations face aux comètes a généralement été à l'image de la perception que ces mêmes civilisations avaient de l'ensemble de l'univers. Il est évident que le passage imprévu et apparemment erratique de ces astres embrasés avait tout pour inquiéter les civilisations primitives qui y voyaient le présage de désastres imminents.

Mais celles-ci n'ont pas été les seules à redouter le passage des comètes. Il suffit de remonter à la dernière visite de la comète de Halley, au printemps de 1910, pour assister à un tel spectacle de panique collective. Comme la Terre devait traverser la queue de la comète et que celle-ci contient des traces d'acide cyanhydrique, il n'en fallait pas plus pour que certains prophètes de malheur n'annoncent une fin du monde imminente. Celle-ci n'eut naturellement pas lieu. La comète n'était pas le messager de la mort.

La comète se fait cependant beaucoup plus discrète en 1985-86 qu'elle ne l'a été en 1910. Si les scientifiques profitent du passage actuel de la comète pour l'étudier en détail, les observateurs amateurs risquent, quant à eux, d'être fort déçus. Ceci est particulièrement vrai pour les observateurs de l'hémisphère nord et pour les Canadiens installés au-delà du 45ᵉ parallèle. C'est plutôt aux antipodes qu'il faudrait aller pour mieux profiter du spectacle. Mais même ceux qui observeront la comète de l'autre côté de la Terre risquent d'être déçus. Contrairement à sa trajectoire de 1910, la comète de Halley passe cette fois-ci beaucoup plus loin de la Terre. Elle sera donc moins grande et moins brillante à l'horizon.

Mais si la comète se fait moins flamboyante que lors de ses passages précédents, elle n'en constitue pas moins un spectacle fort intéressant qui reste à la portée de tout astronome amateur. Bien qu'elle devienne visible à l'oeil nu à partir du mois de décembre, la comète sera plus intéressante si on l'observe à l'aide d'une paire de jumelles ou d'un petit télescope. Il est bon de rappeler que plus le diamètre de l'objectif est grand, plus grande sera la quantité de lumière captée et plus détaillée sera l'image. Il est également toujours préférable de s'éloigner des sources de pollution lumineuse que constituent nos grandes villes. Ce sont les nuits sans lune où l'air est très sec qui s'avèrent les plus propices à l'observation du ciel. Il est évidemment préférable d'être sur une montagne même si l'élévation est beaucoup moins critique pour l'amateur que pour le professionnel dont les instruments de mesure sont très sensibles aux moindres fluctuations d'image.

Il faut finalement prendre en considération le fait que la trajectoire de la comète s'inscrit dans la partie sud de la voûte céleste. L'observateur avisé évitera donc de se rendre au nord d'une grande ville pour installer son télescope. Pour l'observateur posté dans les Laurentides, au nord de Montréal, la comète apparaîtrait directement au-dessus de la ville et serait noyée dans ses lumières. Les Cantons de l'Est offrent donc des sites d'observation beaucoup plus favorables. La position de la comète se rapproche naturellement de l'horizon sud au fur et à mesure que l'observateur se déplace vers le nord. Il serait évidemment opportun de profiter de vacances dans le Sud pour observer plus facilement la comète. La tiédeur des nuits méridionales représente également un avantage par rapport aux nuits québécoises de février; avantage sur lequel il n'est point nécessaire d'élaborer.

C'est à la mi-décembre, à la faveur d'une nouvelle lune, que la comète se dévoilera pour la première fois avec une certaine générosité. Elle s'inscrira alors assez haut au-dessus de l'horizon sud immédiatement après le coucher du soleil.

À la mi-janvier, une autre période de nouvelle lune viendra offrir quelques belles occasions de scruter la comète. Elle sera devenue entre temps encore plus brillante tout en se rapprochant de l'horizon et du Soleil derrière lequel elle disparaîtra pour tout le mois de février.

C'est en mars et en avril que la comète s'approchera le plus de la Terre et deviendra plus brillante. Elle sera malheureusement en même temps très basse à l'horizon où elle apparaîtra peu avant le lever du Soleil. Les périodes de nouvelle lune (12 mars et 11 avril) restent toujours les plus propices à l'observation du ciel. Celle d'avril 1986 surviendra au moment où la comète s'approchera le plus de la Terre (60 millions de km) et où elle sera la plus spectaculaire.

Même si le passage de la comète de Halley se fait plus discret en 1985-86 qu'en 1910, il ne faut pas malgré tout minimiser l'intérêt de cet événement unique auquel bien peu de nous pourront assister de nouveau en 2061. Il s'agit d'une belle occasion de revivre un phénomène cosmique qui a ponctué toute l'évolution de l'humanité. Une fois les jumelles et les télescopes pointés vers le ciel, nombre de novices de l'astronomie se rendront bien compte que celui-ci regorge de merveilles aussi spectaculaires que les comètes et qui s'offrent éternellement à notre contemplation. Voilà sans doute le plus beau présent que nous laissera la comète avant de repartir pour sa grande tournée du système solaire.

Jean-Marc Carpentier

SOMMAIRE

CHAPITRE I

LA PEUR DES COMÈTES

Il semble que de tous temps les comètes ont effrayé les hommes.

La raison en est simple : selon toute apparence, elles ne respectent pas les règles. Les autres corps célestes — les étoiles, le Soleil, la Lune, les planètes — se meuvent de manière cohérente.

Les étoiles sont tout particulièrement régulières ; elles tournent dans le ciel suivant un mouvement stable, précis, immuable. Qui plus est, leur position les unes par rapport aux autres ne se modifie jamais.

Le Soleil et la Lune ne sont pas aussi réguliers. Le soleil de midi s'élève plus haut ou plus bas dans le ciel en fonction de la progression de l'année, et la Lune modifie son apparence toutes les nuits. Le temps passant, la vitesse des planètes varie de même que la direction de leur déplacement. Il n'en demeure pas moins que ces changements sont cohérents. Il est possible de les évaluer et de prévoir longtemps à l'avance la position qu'elles occuperont.

Il n'en va pas de même des comètes. Une comète vague apparaîtra dans le ciel sans avertissement aucun. Elle deviendra pendant un certain temps de plus en plus brillante, puis s'éteindra progressivement et disparaîtra. Il est possible qu'ensuite cinquante années s'écoulent avant qu'on ne revoie une comète ou au contraire qu'une nouvelle apparaisse dès l'année suivante. Les astronomes antiques, qui avaient évalué le déplacement de tous les objets célestes, étaient désemparés face aux comètes. Ils étaient incapables de prévoir quand l'une d'elles se manifesterait, dans quelle région du ciel elle apparaîtrait et combien de temps elle y serait visible.

Deux astronomes anciens observent la comète de 1596 ; frontispice d'un pamphlet allemand.

Cette ignorance était gênante car les anciens croyaient possible de prédire l'avenir d'après la position du Soleil, de la Lune et des diverses planètes par rapport aux étoiles. Le schéma de ces positions se modifiait d'une nuit à l'autre, d'une année à l'autre, et les anciens s'imaginaient que cela correspondait à un code que les sages étaient à même d'interpréter pour guider les êtres humains.

Les comètes, apparaissant de manière totalement imprévisible, semblent annoncer un événement inhabituel. Pour la majorité des gens « un événement inhabituel » signifie « un désastre » ; voir une comète était donc terrifiant.

La redoutable comète de 1528 interprétée par un médecin français.

Cette crainte était renforcée par la forme de la comète. Le Soleil est un cercle brillant. La Lune adopte diverses apparences, mais au moins la moitié de son pourtour dessine-t-elle toujours un arc de cercle. Tous les autres corps célestes sont des points de lumière. Une comète, en revanche, est un cercle lumineux, nébuleux se prolongeant par une ligne vague, quelque peu recourbée, semblable à une queue ou à une chevelure. Le terme grec signifiant « chevelu » est *kometes;* telle est l'origine du mot « comète ».

Dans l'antiquité, les femmes en deuil libéraient leurs cheveux et les laissaient flotter dans le dos, suggérant ainsi qu'elles étaient trop bouleversées pour en prendre soin. Il était donc facile d'identifier une comète à une femme en deuil se lamentant et dont les cheveux volaient au vent. Comment ne pas voir en cela le signe d'un désastre imminent ?

Les hommes, convaincus que les comètes étaient de mauvais augure, se dirent que la queue avait la forme d'une épée ou d'un sabre, et le cercle nébuleux devint une tête décapitée. Les auteurs rivalisaient en descriptions abominables et la peur des comètes s'en trouva d'autant renforcée.

Lorsqu'une comète traversait le ciel, les hommes notaient l'année de son apparition et énuméraient ensuite les terribles événements s'étant déroulés à cette époque. Ils les considéraient en conséquence comme une « preuve » du fait que les comètes étaient présages de désastre. Il est bien évident que des événements terribles adviennent chaque année, que des comètes traversent ou non le ciel ; leur « preuve » était donc dépourvue de toute valeur.

Ainsi, une comète apparue en 44 avant J.-C., se vit « imputer » par la suite l'assassinat de Jules César qui eut lieu la même année. Une autre se manifesta en 11 avant J.-C. et fut reliée à la mort de Marcus Agrippa, homme politique romain, l'année précé-

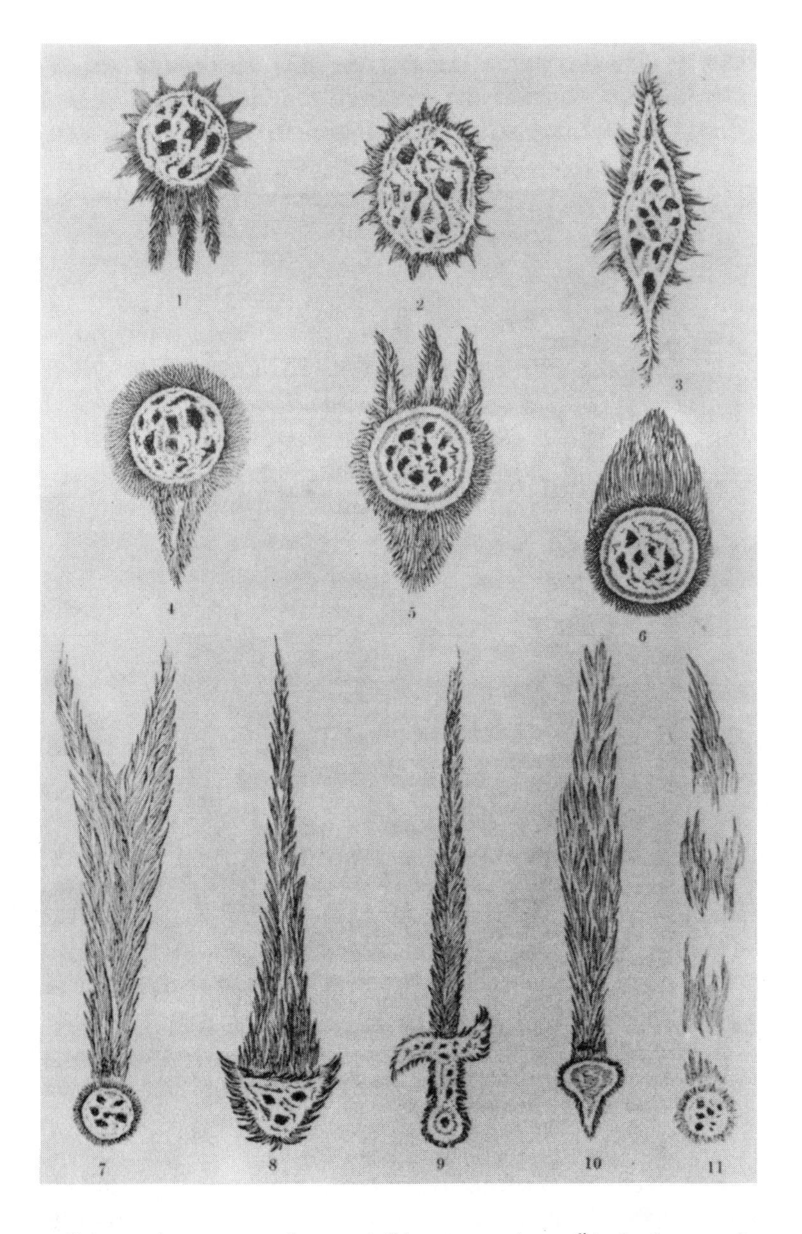

A l'instar de tout un chacun à l'époque antique, l'écrivain romain Pline décrivit les comètes en termes d'armes surnaturelles — pierres, disques, épées et dagues. Les dessins ci-dessus furent réalisés par Hévélius, un astronome allemand du XVIIe siècle.

dente. Une comète datant de 837 de notre ère fut considérée comme un présage du décès de Louis le Pieux, lequel ne surviendrait que trois ans plus tard.

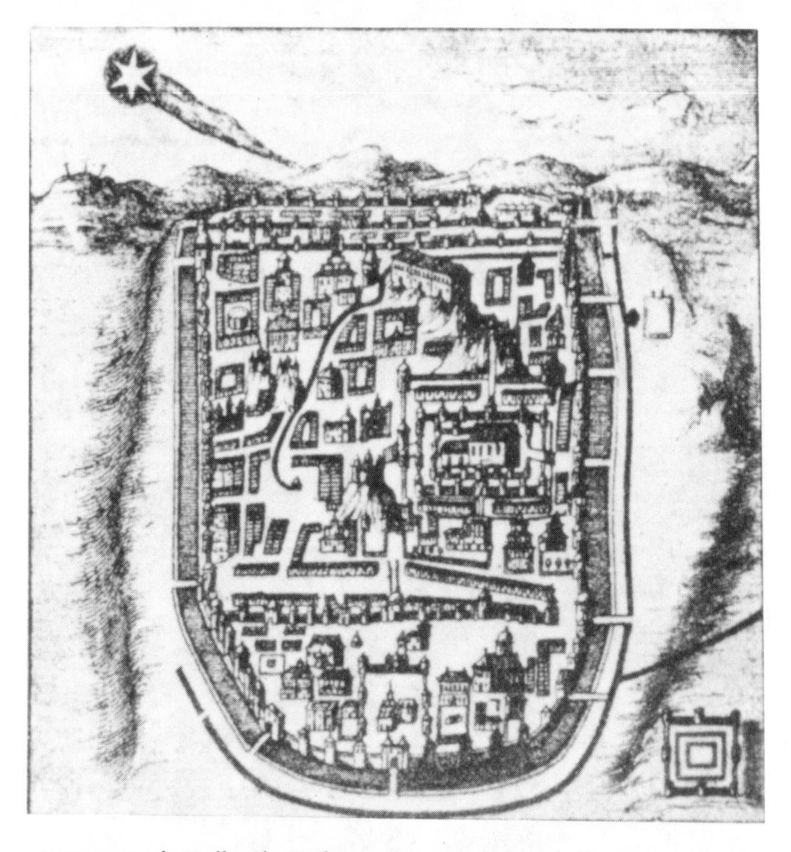

La comète de Halley de 66 de notre ère au-dessus de Jérusalem (dessin du XVIIe siècle). Elle fut considérée comme un présage de la chute de la ville, tombée entre les mains des Romains, qui ne l'investiraient en fait que quatre ans plus tard.

Les comètes n'annonçaient pas toujours la mort de souverains. Elles étaient parfois synonymes de guerre. Une comète aperçue en 66 après J.-C. annonça, dit-on, la chute de Jérusalem tombée aux mains des Romains en 70. Une autre, en 1066, fut associée à la conquête de l'Angleterre par Guillaume de Normandie cette même année. Celle de 1456 fut considérée comme une annonce de la prise de Constantinople par les Turcs en 1453.

Il va de soi que n'importe quelle comète apparaissant en n'importe quelle année peut être rapprochée de l'un ou l'autre désastre historique ; il suffit pour cela de compulser les annales des quelques années précédant et suivant son apparition. Il est remarquable que les hommes n'aient jamais noté que les comètes étaient tout autant synonymes de bonnes que de mauvaises nouvelles. Il est en effet incontestable que la conquête de l'Angleterre fut un événement heureux pour les Normands, au même titre que la prise de Constantinople pour les Turcs !

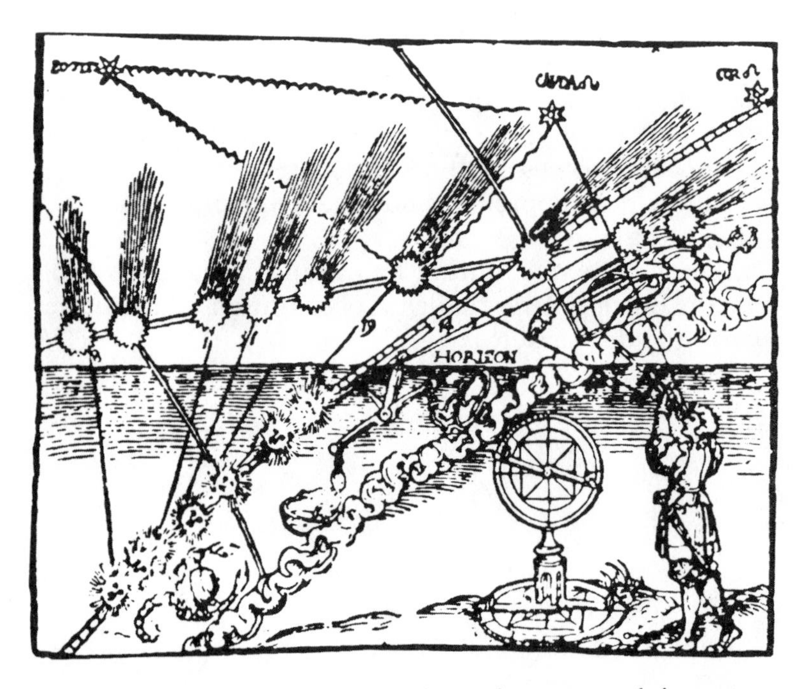

L'astronome allemand Peter Apian observa les positions de la comète en 1531, il était le premier à publier un essai scientifique, montrant la queue de la comète.

Près de 900 comètes furent signalées durant les siècles précédant l'invention du télescope ; elles furent particulièrement abondantes entre 1400 et 1600. Quelque vingt comètes très brillantes furent aperçues au cours de ces deux siècles, qui s'avérèrent particulièrement troubles. Les Turcs avaient envahi tout le sud de l'Europe, s'étant même avancés jusqu'à Vienne, devant laquelle ils avaient mis le siège. La Réforme protestante provoqua un schisme au sein de l'Eglise qui assista à un cycle de « guerres de religion ». Toutes ces comètes devaient paraître lourdes de signification aux yeux des habitants de l'Europe occidentale.

Il y eut bien entendu des hommes pour s'insurger contre cette peur de la comète et prétendre que ces corps célestes étaient sans rapport avec les événements terrestres qui n'étaient rien de plus que des phénomènes naturels. Leurs voix ne furent toutefois pas entendues. Chaque nouvelle comète engendrait une multitude d'ouvrages décrivant les horreurs annoncées par ces sombres prophètes ; ceux-ci étaient d'autant plus populaires qu'ils étaient plus dramatiques et navrants.

Il en résulte que, durant l'antiquité et le moyen âge, aucun Européen ne réalisa d'observation scientifique véritable des comètes.

CHAPITRE II

LES CHEMINS DE LA COMÈTE

Il fallut attendre 1472 pour qu'un astronome envisage enfin une comète comme un phénomène naturel et l'étudie avec calme et sérénité. Il s'agit d'un Allemand, Johannes Müller (1436-76), plus connu sous le nom de Regiomontanus (la traduction latine du nom de sa ville natale, Königsberg). Il observa la comète, avec l'un de ses étudiants, et nota sa position par rapport aux étoiles. Ceci leur permit de tracer une ligne imaginaire à travers le ciel marquant le chemin de la comète. (Il est surprenant que nul n'ait songé auparavant à procéder à une telle observation.)

Lorsqu'une nouvelle comète apparut en 1531 (il y en eut deux autres en 1532, et une en 1533, 1538 et 1539), d'autres astronomes songèrent à l'observer de manière scientifique. L'un était Italien, Girolamo Fracastoro (1483-1553). Il étudia la comète de 1531 et les quatre suivantes, et publia en 1538 un livre dans lequel il affirmait que les queues des comètes étaient toujours orientées à l'opposé du Soleil.

Un astronome allemand, Peter Apian (1501-52) avait également étudié ces comètes, et sans avoir connaissance de l'ouvrage de Fracastoro il publia lui aussi un livre en 1540 dans lequel il parvenait aux mêmes conclusions. C'est chez Apian que l'on trouve le premier dessin scientifique d'une comète ; il y

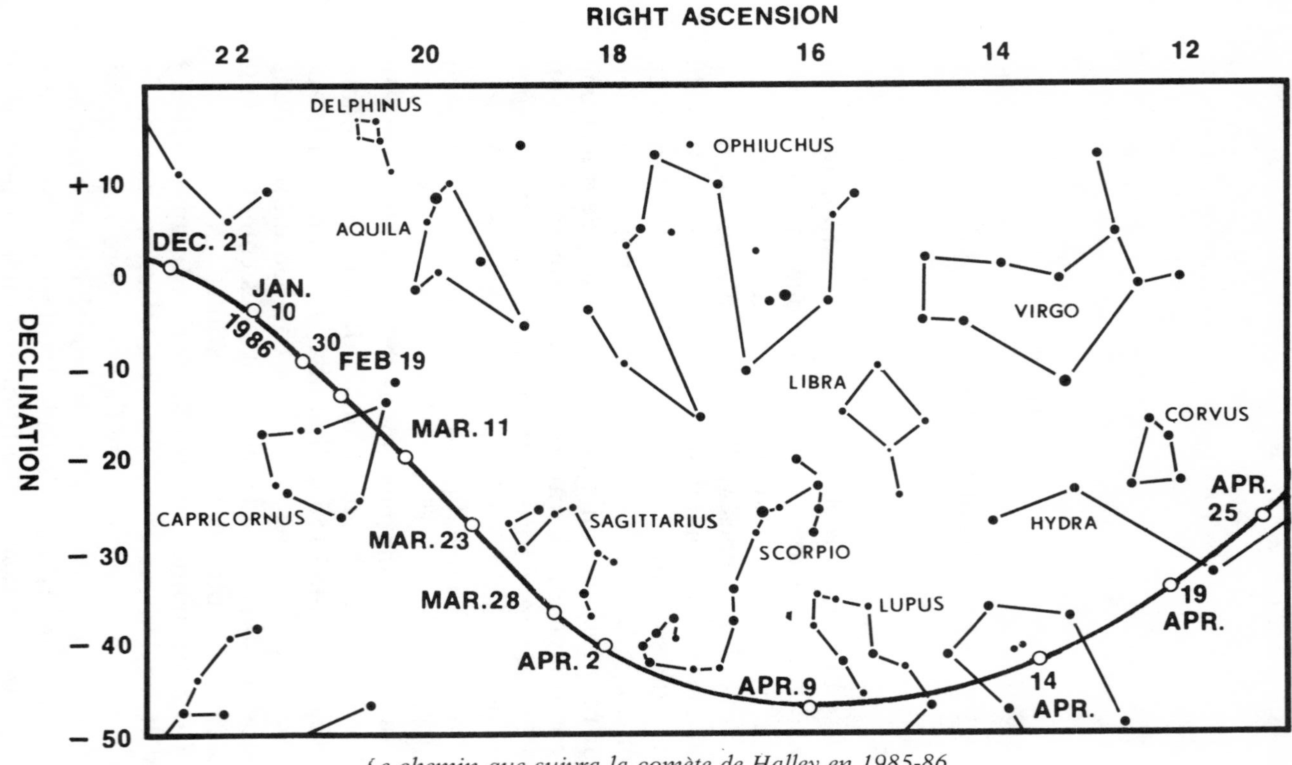

Le chemin que suivra la comète de Halley en 1985-86
à travers les constellations,
tel que le verra un observateur regardant vers le Sud.

indique l'orientation de la queue par rapport au Soleil.

Pour la première fois, les comètes ne paraissaient pas tout à fait anarchiques. Leur chevelure tout au moins respectait une règle simple. Elles devenaient peu à peu des objets astronomiques presque ordinaires.

Mais l'étaient-elles vraiment ?

Le philosophe grec Aristote (384-322 avant J.-C.) ne le croyait pas. Il estimait que tous les corps célestes se déplaçaient autour de la Terre selon des trajectoires fixes et prévisibles. Les comètes étant imprévisibles, allant et venant de manière totalement anarchique, il en conclut qu'il ne s'agissait pas de corps célestes. Il supposa qu'elles étaient des flammes brûlant lentement dans la haute atmosphère. Celles-ci s'allumaient de temps à autre, flamboyaient pendant quelques semaines ou quelques mois, puis s'éteignaient progressivement.

Selon cette vision, les comètes faisant partie de l'atmosphère, elles devaient se situer plus près de la Terre que les corps célestes qui évoluaient au-delà de l'atmosphère. Elles devaient même être plus proches de la Terre que la Lune, que les Grecs considéraient (à juste titre) comme étant l'astre le plus rapproché de notre planète.

Le prestige d'Aristote était tel que ses conceptions furent respectées pendant près de deux mille ans après sa mort.

Mais en 1577 une nouvelle comète apparut dans le ciel. Elle fut observée par un astronome danois, Tycho Brahe (1546-1601). Tycho (que l'on connaît en général par son prénom) pensa qu'il serait peut-être capable de déterminer la distance de la comète.

Il est possible d'évaluer l'éloignement des corps célestes en vertu du principe selon lequel les objets alentours paraissent changer de position par rapport à un fond distant si on les observe à partir d'endroits différents. Ainsi, si vous tenez votre doigt devant votre visage et que vous fermiez votre œil droit, votre doigt occupera une certaine position par rapport aux objets de l'arrière-plan. Si vous conservez la même position mais que vous fermiez l'œil gauche au lieu du droit, vous aurez l'impression que la position de votre doigt s'est modifiée par rapport à l'arrière-fond.

Plus vous éloignez votre doigt de votre œil moins le déplacement sera important. Il est donc possible de calculer une distance par rapport à l'importance de ce décalage (ou « parallaxe »).

Ainsi, la position de la Lune par rapport aux étoiles beaucoup plus lointaines semblera se modifier selon que vous l'observiez en des lieux différents (disons Rome et Londres). Compte tenu de la distance séparant ces deux points d'observation, le parallaxe de la Lune est utilisable pour calculer son éloignement.

C'est à cette entreprise que s'attela Tycho lors du passage de la comète de 1577. Il enregistra nuit après nuit sa position par rapport aux étoiles et compara ses données avec celles d'astronomes d'autres villes. Tycho ne découvrit pas de parallaxe utile. Il en conclut que la comète devait se situer à une distance quatre fois supérieure à celle de la Lune. Si elle avait été plus proche, il y aurait eu un parallaxe perceptible.

Après cette expérience, il n'était plus question de nier que les comètes étaient des corps astronomiques au même titre que les planètes.

Quelque temps auparavant, en 1543, un astronome polonais Nicolas Copernic (1473-1543) avait publié un ouvrage dans lequel il prétendait que le Soleil et les planètes ne tournaient pas autour de la Terre comme Aristote et d'autres philosophes grecs l'imaginaient. Il est plus simple, affirmait Copernic de comprendre la manière dont se déplacent les planètes à travers le ciel si on considère qu'elles tournent autour du Soleil. La Terre elle-même était une planète qui avec son satellite la Lune, effectuait des révolutions autour du Soleil. C'est ainsi que l'on en vint à parler du « système solaire », d'après le préfixe latin *sol* qui signifie « soleil ».

Puis, en 1609, un astronome allemand, Johannes Kepler (1571-1630), qui avait été l'assistant de Tycho durant les dernières années de la vie de l'astronome danois, montra que les planètes, y compris la Terre, tournaient autour du Soleil selon des trajectoires (ou « orbites ») décrivant des ellipses ayant le Soleil pour foyer. (Une ellipse est en quelque sorte un cercle aplati ayant deux foyers, un de chaque côté du centre. Plus l'ellipse est allongée, plus les foyers sont « excentriques », c'est-à-dire plus ils sont éloignés l'un de l'autre et plus chacun se rapproche d'une extrémité de l'ellipse.)

Les orbites planétaires ne sont pas très excentriques, les foyers ne sont donc guère éloignés du centre, ce qui implique que le Soleil n'est pas loin d'occuper une position centrale.

La question se posa bientôt de savoir si les comètes évoluaient autour du Soleil à l'instar des planètes, et si tel était le cas, selon quelle trajectoire ? De prime abord, l'orbite d'une comète n'était guère semblable à celle d'une planète.

Kepler avait observé une comète en 1607 et avait eu l'impression qu'elle se déplaçait en ligne droite. Il suggéra que les comètes provenaient de régions très lointaines, traversaient le système solaire et disparaissaient au loin dans la direction opposée. Elles apparaissaient lorsqu'elles étaient suffisamment proches pour être visibles, devenaient de plus en plus brillantes, puis s'éteignaient petit à petit et disparaissaient en définitive lorsqu'elles n'étaient plus assez proches pour être visibles.

En 1609, l'année où Kepler élabora son schème des orbites elliptiques, le scientifique italien Galileo Galilei (1564-1642) construisit un télescope simple et le dirigea vers les cieux. Enfin les êtres humains étaient en mesure de voir les corps célestes de façon plus nette, plus brillante et plus détaillée que ne le permettait l'œil !

Tous les astronomes européens possédèrent bientôt un télescope ; la comète qui apparut en 1686 fut la première à être observée à l'aide de ce nouvel appareil. L'astronome suisse qui réalisa cette observation, Johann Cysat (1586-1657), confirma la conclusion de Kepler : les comètes se déplaçaient en ligne droite.

La grande comète de 1577. Son étude permit à Tycho Brahe d'établir de manière scientifique que les comètes étaient des corps célestes et non des présages surnaturels.

Sa déclaration ne fit pas l'unanimité. Un savant italien, Giovanni Alfonso Borelli (1608-79), étudia avec soin le déplacement d'une comète qui se manifesta en 1665. Il eut l'impression que sa trajectoire à travers le ciel était dépourvue de sens si on considérait que la comète filait selon une ligne droite.

Borelli acceptait l'idée qu'une comète se dirige vers le système solaire en ligne presque droite, mais cette dernière lui paraissait s'incurver lorsque la comète s'approchait du Soleil. La trajectoire se modifiait alors et la comète reprenait une direction de plus en plus rectiligne. Bref son déplacement évoquait plus un « U » qu'un « I », avec le Soleil à l'intérieur et près du fond du « U ». Une telle orbite en forme de « U » est nommée « parabole ».

Que la trajectoire fût en forme de « U » ou de « I », la comète ne traversait qu'une fois le système solaire, s'approchant d'une distance infinie et disparaissant à une distance infinie.

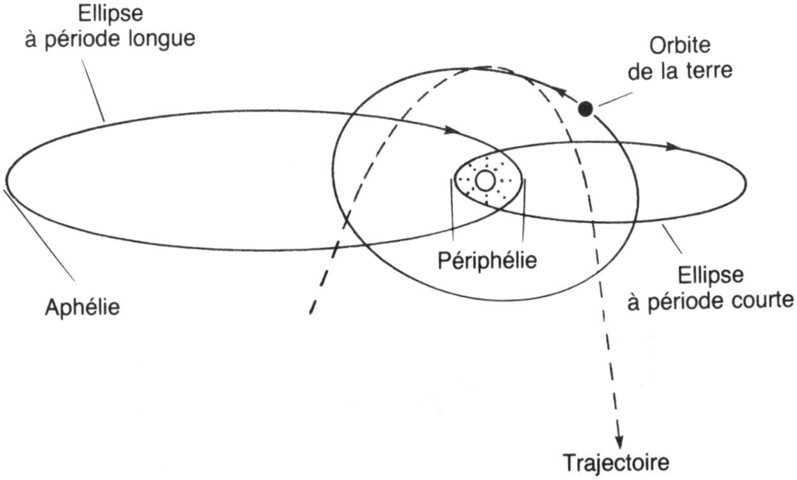

Trajectoires elliptiques et paraboliques des comètes tournant autour du Soleil. Une comète suivant une trajectoire elliptique réapparaîtra périodiquement ; celle qui parcourt une trajectoire parabolique s'enfonce dans l'espace extérieur et on ne la reverra jamais. (L'orbite de la Terre telle qu'elle est représentée dans ce schéma paraît beaucoup plus elliptique qu'elle n'est en réalité.)

La notion de « distance infinie » n'était toutefois pas très pratique. Certains scientifiques pensèrent que les comètes suivaient peut-être des orbites qui étaient en réalité des ellipses très longues et très aplaties. L'autre extrémité de l'ellipse serait si éloignée que la comète demeurerait invisible dans cette partie de son orbite pendant de nombreuses années. On ne l'apercevrait donc que lorsqu'elle approche de l'extrémité proche du Soleil. Celle-ci aurait la forme d'un « U »

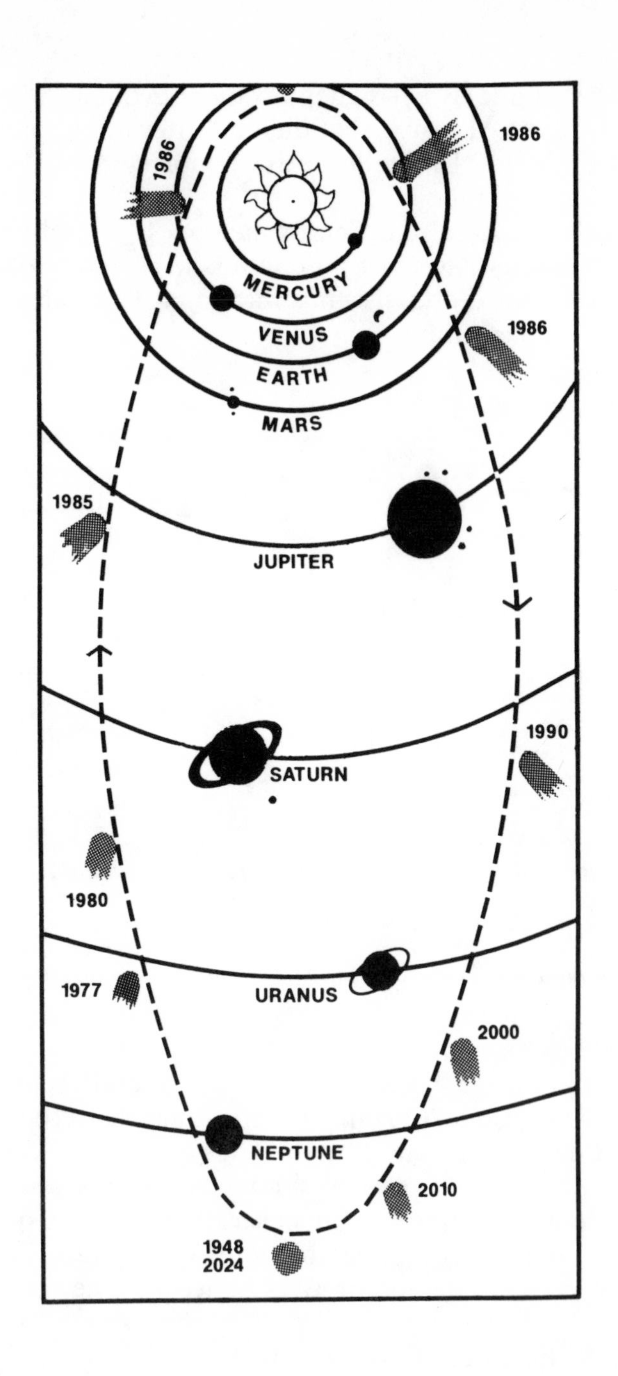
1986
1986
MERCURY
VENUS
1986
EARTH
MARS
1985
JUPITER
1990
SATURN
1980
1977
URANUS
2000
NEPTUNE
2010
1948
2024

parce que l'extrémité d'une ellipse très longue a une courbure presque parabolique.

Une comète qui suivrait une orbite parabolique ne réapparaîtrait jamais, tandis que si l'orbite était en réalité une très longue ellipse, elle reviendrait en définitive dans le ciel terrestre après de très nombreuses années. Le savant allemand Otto von Guericke (1602-86) fut le premier à suggérer que les comètes revenaient périodiquement, après qu'elles ont décrit de longues ellipses.

La suggestion était intéressante mais, de prime abord, paraissait inutile. Il n'existait, semble-t-il, aucun moyen d'évaluer l'orbite d'une comète ni de *prédire* à quelle époque elle réapparaîtrait. Tant que les mouvements des comètes ne seraient pas aussi prévisibles que ceux des planètes, il serait impossible de les considérer comme des membres à part entière du système solaire.

En 1687, un an après le décès de Guericke, le scientifique anglais Isaac Newton (1642-1727) publia un ouvrage dans lequel il exposait la loi de la gravitation universelle. Les astronomes apprirent enfin les règles qui définissaient, avec précision, les trajectoires que *devaient* suivre les corps astronomiques évoluant à proximité d'autres corps.

D'après les lois de Newton, une comète se déplacerait autour du Soleil selon une très longue ellipse ou selon une parabole. Il est possible de déterminer de quel cas de figure il s'agit en notant la distance d'une comète au Soleil et sa vitesse à ce moment-là. Si elle

Le circuit complet de la comète de Halley de 1948 à 2024 époque où elle se situera à nouveau à 5 200 millions de kilomètres du Soleil. Elle fut aperçue pour la première fois lors de son retour actuel, le 20 octobre 1982, par des caméras électroniques fixées au télescope de 5 mètres d'ouverture du Mont Palomar en Californie. Après avoir tourné autour du Soleil, elle reviendra à une soixantaine de millions de kilomètres de la Terre sur son trajet de retour vers son aphélie.

est suffisamment lente, l'orbite *doit* être elliptique et non parabolique, et la comète *doit* réapparaître tôt ou tard.

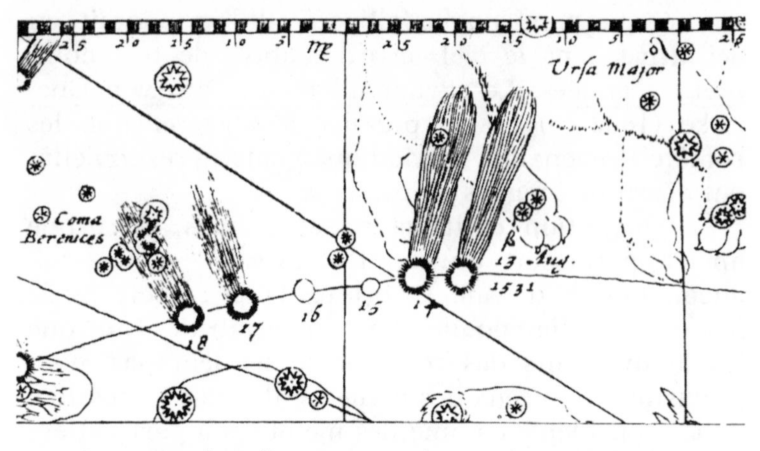

La comète de Halley passa sous la Grande Ourse en 1531.

L'astronome anglais Edmund Halley (1656-1742) était l'un des amis intimes de Newton. En 1682, il observa une comète brillante dans le ciel et entreprit d'évaluer son orbite. Ce n'était pas une tâche aisée, et Halley y consacra de nombreuses années.

Pour rendre son travail plus précis, Halley rassembla toutes les données relatives aux comètes qu'il lui fut possible de trouver. Il étudia les positions mouvantes de deux dizaines de comètes mentionnées par ses prédécesseurs. Il ne put que constater, ce faisant, que la comète de 1607, qui avait été soigneusement observée par Kepler, avait traversé la même région du ciel que celle de 1682 qu'il avait observée lui-même. En fait, la comète de 1531, qu'avaient observée Fracastoro et Apian, s'était également déplacée dans cette même région céleste, de même que celle de 1456, étudiée par Regiomontanus.

A sa grande surprise, Halley constata que 75 ans s'étaient écoulés entre 1456 et 1531 ; 76 entre 1531 et

1607 ; et 75 entre 1607 et 1682. Il en conclut que les quatre comètes de 1456, 1531, 1607 et 1682 n'étaient en fait qu'un seul et même corps céleste. Celui-ci parcourait une longue ellipse — si longue que le corps céleste n'était visible, vers l'extrémité de son ellipse, que tous les 75 ou 76 ans.

---

tel its Return. And, indeed, there are many Things which make me believe, that the Comet which *Apian* obſerv'd in the Year 1531, was the ſame with that which *Kepler* and *Longomontanus* more accurately deſcrib'd in the Year 1607 ; and which I my ſelf have ſeen return, and obſerv'd in the Year 1682. All the Elements agree, and nothing ſeems to contradict this my Opinion, beſides the Inequality of the Periodic Revolutions. Which Inequality is not ſo great neither, as that it may not be owing to phyſical Cauſes. For the Motion of Saturn is ſo diſturbed by the reſt of the Planet

---

(Extrait de l'ouvrage de Halley dans lequel il démontre que les comètes de 1531, 1607 et 1682 ne faisaient en fait qu'une.

(Traduction du texte de l'illustration :

Et il est bien d'autres détails qui m'amènent à penser que la Comète qu'observa *Apian* en l'an 1531, était la même que celle décrite avec plus de précision par Kepler et Regiomontanus en l'an 1607 ; et que je vis moi-même revenir en l'an 1682. Tous les éléments sont en accord, et rien ne paraît contredire mon opinion, si ce n'est l'irrégularité des révolutions périodiques. Irrégularité qui n'est toutefois pas si importante qu'elle ne puisse être attribuée à des causes physiques.)

Il s'agissait d'une idée audacieuse et Halley hésita longtemps avant de l'exprimer publiquement. En 1705, ayant terminé tous ses calculs et acquis la

Portrait de Edmund Halley (1657-1742) vers la fin de sa vie alors qu'il était devenu Astronome Royal d'Angleterre.

conviction qu'il était dans le vrai, il publia sa table de diverses trajectoires cométaires et annonça que la comète de 1682 réapparaîtrait en l'an 1758.

La tête de la comète de Halley se situait en 1456 dans la constellation des Gémeaux et sa queue allongée courait à travers celles du Cancer et du Lion. La queue était si longue qu'elle s'étendait sur un tiers du ciel.

La prédiction de Halley était quelque peu frustrante sur un plan personnel, car elle impliquait qu'il devrait vivre 102 ans pour obtenir la confirmation de sa théorie. Il n'eut pas cette chance. Il mourut en 1742, deux mois après son quatre-vingt-cinquième anniversaire.

CHAPITRE III

LE RETOUR DE LA COMÈTE DE HALLEY

La prédiction de Halley fit sensation, mais cela ne dura guère. Somme toute, il n'y avait rien d'autre à faire qu'attendre plus d'un demi-siècle pour savoir si la comète allait effectivement revenir. Beaucoup d'astronomes étaient conscients qu'ils ne connaîtraient jamais la réponse à cette question. En toute logique, ils se tournèrent donc vers d'autres préoccupations.

Mais vint enfin 1758. Les mois passaient les uns après les autres et nulle comète n'apparaissait dans le ciel.

Il est bien certain que personne ne s'attendait à ce que la comète se manifeste à l'instant précis indiqué par Halley. Après tout, entre le moment où la comète de 1531 et celle de 1607 avaient dépassé le Soleil, 76 années et 1 mois s'étaient écoulés alors que ce délai n'avait été que de 74 ans et 11 mois entre les comètes de 1607 et 1682. Il y avait là une différence d'un an et deux mois. Il était donc impossible d'affirmer que le nouveau passage aurait lieu en 1758. Peut-être se produirait-il en 1759 ou encore en 1760.

Mais comment expliquer cette irrégularité ?

Si la comète et le Soleil étaient les deux seuls corps concernés, la comète aurait dû être aussi précise qu'une horloge suisse ; mais ce *ne* sont *pas* les deux seuls objets concernés. La comète décrivant son orbite

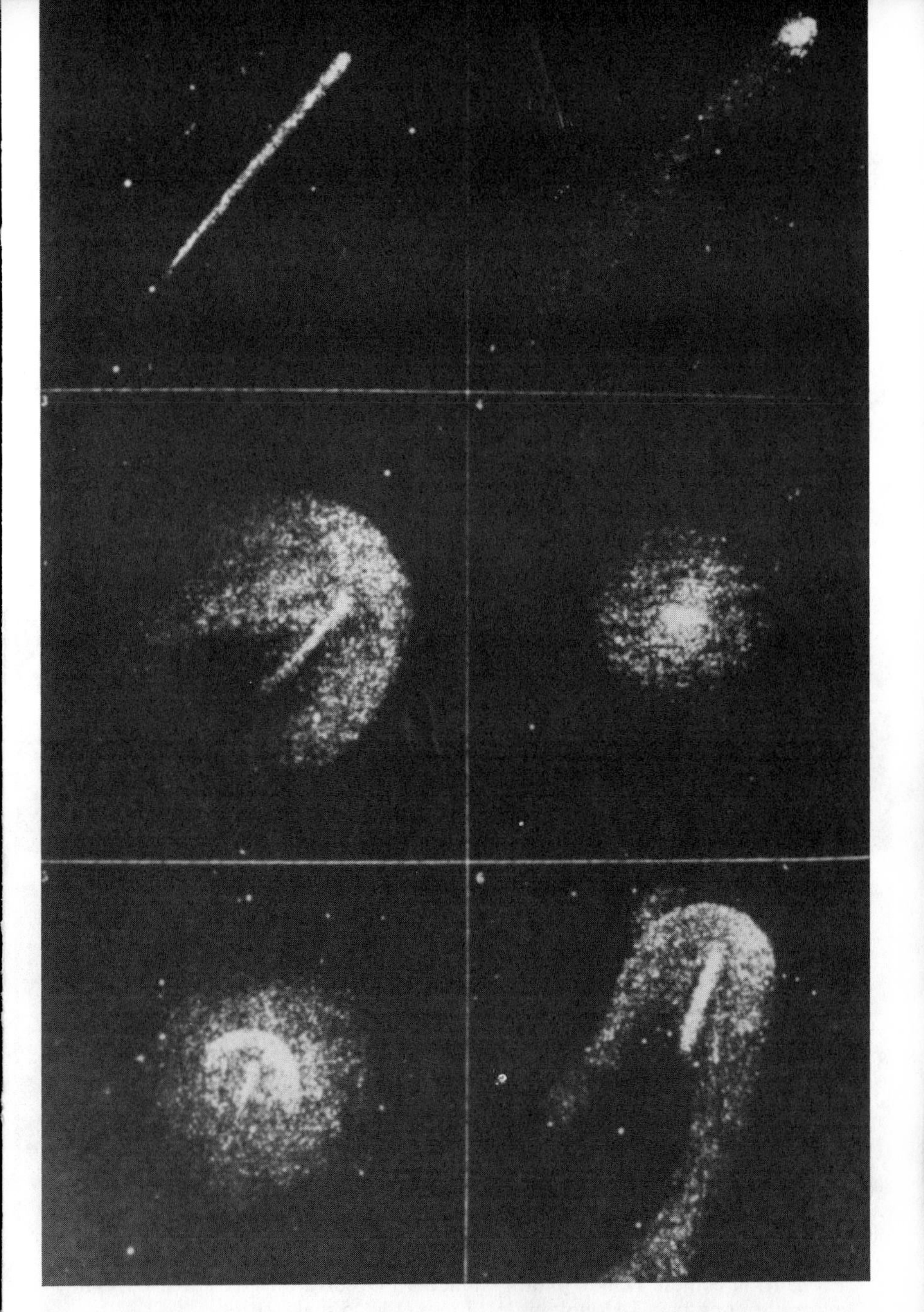

La comète Halley, d'après Herschel. 1) Vue à l'œil nu dans Ophiuchus, le 24 octobre 1835. 2) Vue dans une lunette astronomique. 3,4,5,6) Détails de la tête de la comète (octobre 1835 à février 1836). (*gravures extraites du « Ciel » d'Amédée Guillemin.*)

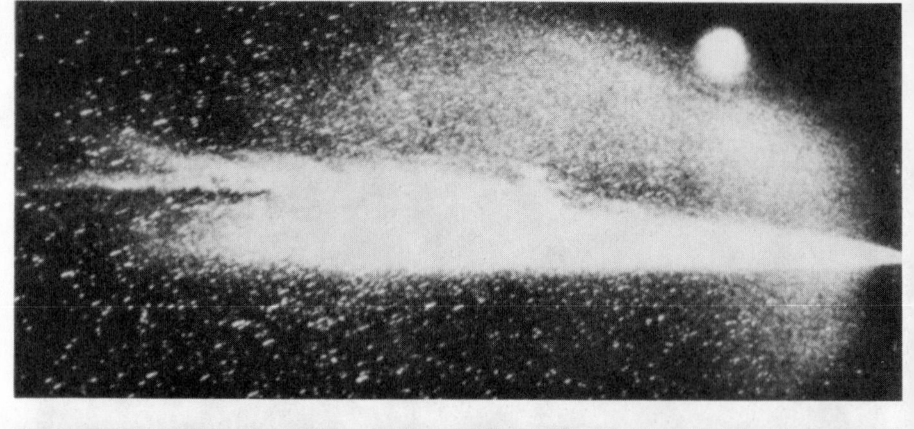

En haut, la comète Halley photographiée à l'Observatoire de Paris, en 1910 ; au centre et en bas, à Honolulu, le 12 mai et le 15 mai 1910.

▶
Projet spéculatif en 1979 de déploiement de sonde au départ de la comète Halley, d'autant plus spéculatif que ce sont les Russes et les Japonais qui travaillent sur la comète Halley.
Projet abandonné par la NASA pour la rencontre avec la comète Halley.

La comète Ikeya-Seki, le 29 octobre 1965.

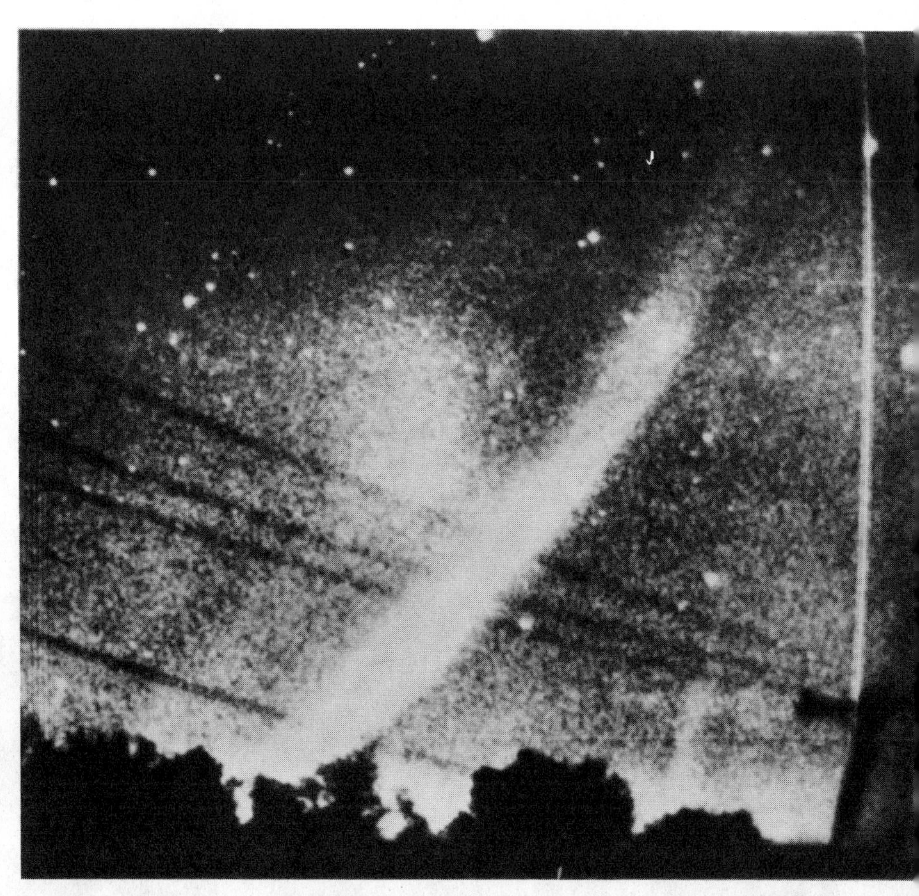

Autre image de la comète Ikeya-Seki, qui doit être prise sur un écran de télévision.

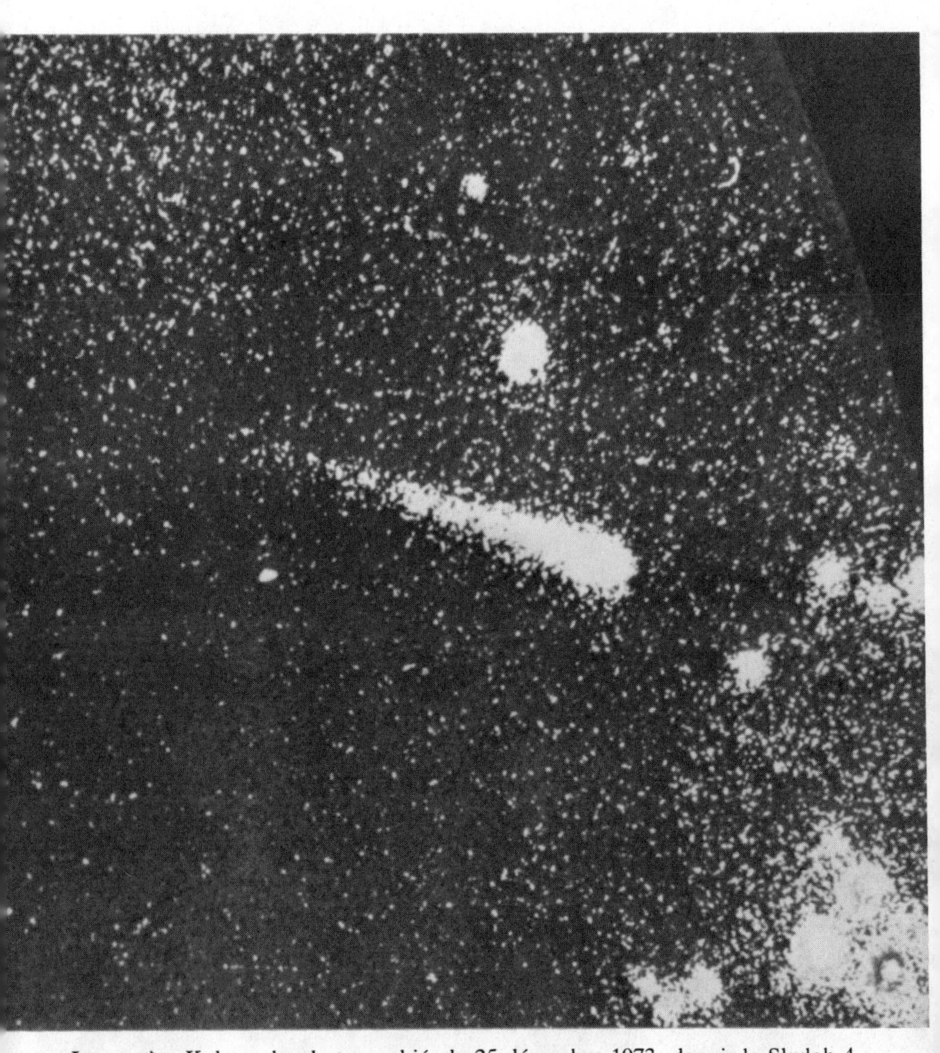

La comète Kohoutek, photographiée le 25 décembre 1973, depuis le Skylab 4.

◄
La comète Kohoutek, prise au téléscope de Schmitt. Sur la première image, le 28 novembre 1973, puis le 29 novembre, et enfin le 6 décembre 1973.

Kohoutek en octobre 1973, prise de l'Observatoire de Kitt Peak en Arizona.

Kohoutek le 4 janvier 1974, prise du nez de la fusée « Aerobee », lancée du Nouveau-Mexique.

La comète Kohoutek telle qu'elle aurait pu être vue le dimanche soir 6 janvier 1974, environ 1 h à 1 h 30 après le coucher du soleil.

Ce dessin d'imagination est vu du point culminant de Washington.

La comète Kohoutek à 18 h 35 le 12 janvier 1974, prise au télescope de Schmidt, exposition 3 minutes en lumière bleue.

Cette composition de cinq images de la comète West a été établie par des photographes du Nouveau-Mexique le 7 mars 1976.

La comète Bennett, à son passage au périhélie (le plus près du soleil).
En bas, la comète Mrkos, extention maximale de la queue, luminosité maximale de la comète ; ensuite, la comète redevient un bloc de glace invisible.

Tête de la comète de Brooks (déploiement de la queue).

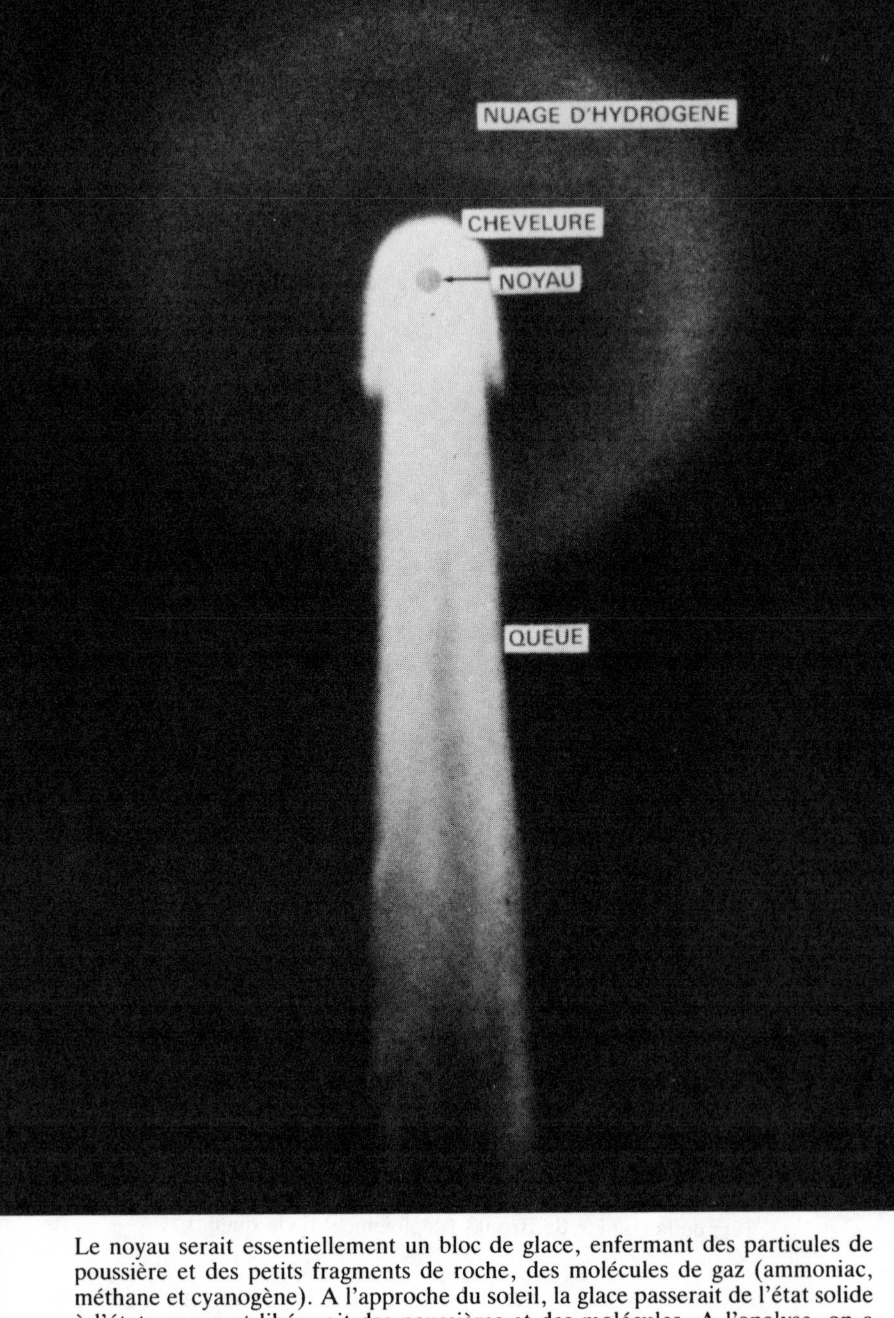

Le noyau serait essentiellement un bloc de glace, enfermant des particules de poussière et des petits fragments de roche, des molécules de gaz (ammoniac, méthane et cyanogène). A l'approche du soleil, la glace passerait de l'état solide à l'état gazeux et libérerait des poussières et des molécules. A l'analyse, on a décelé dans la tête des comètes des radicaux chimiques à partir d'atomes de carbone, d'azote d'oxygène et d'hydrogène.

passait peut-être assez près des deux grandes planètes extérieures, Jupiter et Saturne, et il n'était pas impossible que celles-ci exercent sur elle une force d'attraction susceptible d'accélérer ou de ralentir son déplacement.

Halley avait déterminé une orbite pour la comète, mais il devait exister un moyen de la perfectionner. L'époque du retour approchant, deux astronomes français, Alexis Claude Clairault (1713-65) et Joseph Jérôme Lalande (1732-1807), se penchèrent sur les calculs de Halley et définirent l'orbite de la comète avec une plus grande précision. Ils prirent ensuite en considération la force d'attraction de Jupiter et de Saturne que subissait la comète lorsqu'elle passait à proximité de ces planètes. Ils calculèrent que la comète serait quelque peu retardée et n'atteindrait pas son point le plus proche du Soleil (« périhélie ») avant le 13 avril 1759. Elle serait toutefois visible plusieurs mois avant cette date. Le sujet ne passionnait pas suffisamment les astronomes professionnels qui n'entreprirent aucune étude détaillée de la comète.

L'astronomie est une science qui, jusqu'à l'heure actuelle, dispose d'adeptes inconditionnels qui réalisent parfois des travaux importants et utiles. L'un d'entre eux était particulièrement actif en 1758 ; il s'agissait d'un fermier allemand nanti, dénommé Johann Georg Palitzsch (1723-88). Il connaissait le travail de Halley et était convaincu que la comète reviendrait comme prévu.

En novembre 1758, il installa son télescope et le dirigea vers la région du ciel où la comète était censée réapparaître. Il attendit patiemment et le 25 décembre 1758 il eut sans doute le plus beau cadeau de Noël de sa vie, car c'est ce jour-là qu'il fut le premier à apercevoir la comète qui revenait.

Le rapport de Palitzsch éveilla l'intérêt des professionnels. Le 21 janvier 1759, le Français Charles

Messier (1730-1817) fut le premier d'entre eux à localiser la comète ; le mauvais temps avait nui aux observations durant les semaines précédentes.

La comète devint ensuite de plus en plus brillante ; elle traversa le ciel en suivant la trajectoire prévue, et demeura visible (sauf lorsqu'elle se trouvait très près du Soleil) jusqu'à la fin du mois de mai. Elle passa au périhélie le 13 mars, avec un mois d'avance sur la prévision de Clairault et Lalande.

Comment expliquer cette différence ? Clairault et Lalande n'avaient pas connaissance de l'existence des planètes lointaines, Uranus et Neptune, et étaient donc dans l'impossibilité de prendre en considération leurs forces d'attraction. En outre, les calculs de la masse de Jupiter et de Saturne manquaient de précision à l'époque. Il n'en demeure pas moins que leurs résultats étaient plus que satisfaisants compte tenu de la somme d'informations qui leur faisait défaut.

Il va de soi que nous connaissons aujourd'hui toutes les planètes se situant sur la trajectoire de la comète et que nous disposons d'excellentes estimations relatives à leur masse. Nous avons également une connaissance précise de l'orbite de la comète. Nous savons par exemple qu'en son point le plus proche du Soleil, ces deux corps célestes ne sont distants que de 88 millions de kilomètres, ce qui signifie que la comète s'approche plus près du Soleil que ne le fait Vénus. Trente-sept années après avoir franchi son périhélie la comète se situe à l'aphélie, qui est le point de son orbite le plus éloigné du Soleil. 5 200 millions de kilomètres la séparent alors de l'astre du jour — soit plus de 3,5 fois la distance séparant le Soleil de Saturne, la planète la plus éloignée de la Terre à l'époque de Halley. Son aphélie est à 800 millions de kilomètres à l'extérieur de l'orbite de Neptune, la grande planète la plus distante à ce jour.

Depuis son retour en 1758, la comète a été baptisée « comète de Halley ».

Cette comète étant reconnue comme un membre respectable du système solaire revenant de manière périodique et prévisible, les astronomes se penchèrent sur le passé. Ils se demandèrent quelles étaient, parmi les multiples visions de comètes, celles qui correspondaient à un passage de la désormais très célèbre comète de Halley.

Partons du périhélie du 13 mars 1759 et remontons le temps à la recherche des périhélies précédents :

15 septembre 1682. Ce fut la comète observée par Halley.

25 octobre 1607. Ce fut la comète observée par Kepler, qui suggéra que ces corps célestes se déplaçaient en ligne droite.

25 août 1531. Ce fut la comète observée par Fracastoro et Apian, qui remarquèrent que la queue était toujours orientée à l'opposé du Soleil.

6 juin 1456. Ce fut la comète aperçue par Regiomontanus. On redoutait les comètes en ce temps, car celle de Halley étant apparue trois ans après la chute de Constantinople, on s'imaginait qu'elle annonçait de nouvelles victoires turques. Le pape Calixte III ordonna que des prières spéciales soient dites pour apaiser la colère de Dieu et empêcher les Turcs de soumettre toute l'Europe.

9 novembre 1378. La comète de Halley ne fut guère brillante cette année-là. Ce phénomène se produit lorsque la Terre se trouve du côté opposé du Soleil par rapport à la comète lorsque celle-ci approche du périhélie. Les deux corps sont alors séparés par une distance inhabituellement grande et qui plus est, la comète est trop proche du Soleil pour être facilement visible. Il arrive également que la comète soit située de telle manière qu'elle est difficilement observable de l'hémisphère nord où travaillent la plupart des astronomes et des observateurs. Enfin les positions respectives de la Terre et de la comète sont parfois telles que l'on distingue mal la queue de cette dernière or c'est justement elle qui lui confère un côté spectaculaire.

23 octobre 1301. Ce fut une apparition très brillante qui fut observée, croit-on, par l'artiste italien Giotto di Bondone (1267-1337).

Giotto représenta l'Etoile de Bethléem sous l'apparence d'une comète dans sa célèbre fresque « l'Adoration des Mages » *qui fut achevée à Florence trois ans après le passage en 1301 de la comète de Halley.*

Giotto acheva en 1304 un grand tableau intitulé *l'Adoration des Mages,* dans lequel les sages adorent le nouveau-né, Jésus. On représente en général dans ce type d'œuvre l'Etoile de Bethléem au-dessus de la crèche, mais Giotto réalisa une peinture réaliste d'une comète. Il est probable qu'il se fondait sur le souvenir de l'apparition récente de la comète de Halley. Maintes personnes à cette époque pensaient que l'Etoile de Bethléem était en fait une comète.

1er octobre 1222. Remarquez que ce périhélie se situe très exactement 79 ans avant le précédent. Une étude minutieuse révèle que la période orbitale de la comète de Halley est d'environ 77 ans, à 2,5 ans près compte tenu de la force d'attraction des planètes — soit entre 74,5 et 79,5 ans.

Les artistes qui réalisèrent la tapisserie de Bayeux représentèrent la comète de Halley de 1066 comme une étoile avec une queue multiple. Cette scène célèbre l'invasion de l'Angleterre par Guillaume le Conquérant et montre le roi Harold sur son trône, fort préoccupé des qualités guerrières de Guillaume.

22 avril 1145. Il n'y a pas grand-chose à dire sur cette apparition.

23 mars 1066. Il s'agit de la plus célèbre apparition de la comète avant l'époque de Halley. Elle pénétra le ciel alors que Guillaume de Normandie prévoyait d'envahir l'Angleterre. Le rusé Guillaume s'empressa d'annoncer que la comète prophétisait un désastre pour les Anglais ce qui donna du cœur au ventre aux Normands. En fait, Harold d'Angleterre avait remporté en septembre de la même année une grande victoire sur les envahisseurs nordiques, mais il dut se précipiter vers le Sud pour affronter les Normands ; il fut vaincu et tué en octobre.

L'apparition de la comète de Halley en 1066 fut très brillante, l'objet se déplaçant très rapidement à travers le ciel (représentation du XIXe siècle).

La Tapisserie de Bayeux fut créée pour célébrer la victoire Guillaume ; elle illustre 70 scènes de l'invasion. L'une d'elles montre la comète de Halley représentée sous la forme d'une étoile avec une queue ; on aperçoit des hommes la désignant du doigt. La légende latine précise : « Ceux-ci regardent l'étoile. »

Les allusions aux comètes sont assez rares et peu fiables en Europe avant 1066. A cette époque, l'astronomie était toutefois beaucoup plus avancée en Chine. Vers 1700, un missionnaire jésuite ramena des comptes rendus d'observations qui furent traduits en 1846. Ces données enrichissent notre connaissance relative aux apparitions antérieures de la comète de Halley.

9 septembre 989. Elle est mentionnée tant dans des récits européens que chinois.

9 juillet 912. Elle est mentionnée tant dans des récits européens que chinois.

27 février 837. Elle n'est mentionnée que dans des récits chinois. L'Europe connaissait alors une période trouble marquée par les guerres civiles et les raids des Vikings ; la qualité de la vie était donc très basse. Les Chinois, en revanche, ne mentionnèrent pas moins de quatre comètes cette année-là et, selon les positions rapportées, la première fut celle de Halley.

22 mai 760. Elle est mentionnée tant dans les récits européens que chinois.

28 septembre 684. Les chroniques de la ville de Nuremberg en Allemagne renferment non seulement un rapport relatif à une comète brillante, mais encore un dessin la représentant avec sa queue. C'est la plus ancienne illustration d'une comète dont on ait connaissance.

13 mars 607. Elle est peut-être mentionnée dans des récits chinois.

25 septembre 530. Elle est peut-être mentionnée dans des récits européens.

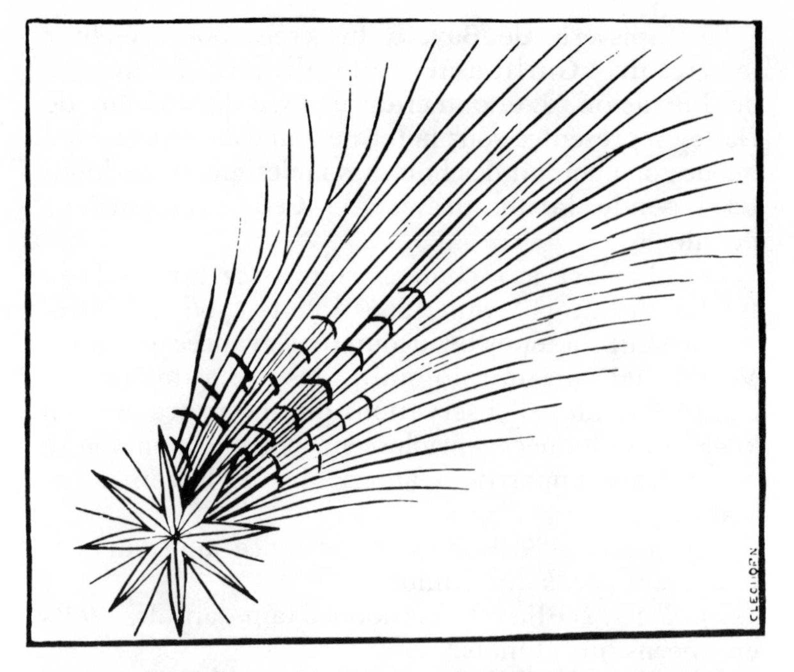

La comète de Halley de 684 est gravée, telle quelle dans un bloc de bois des Chroniques de Nuremberg. On supposa qu'elle annonçait des tempêtes catastrophiques, une mauvaise moisson et la peste. C'est la plus ancienne représentation connue de la comète de Halley.

24 juin 451. Les Européens eurent de bonnes raisons de remarquer cette comète. C'est en effet à cette époque que les provinces occidentales de l'Empire romain furent envahies par Attila le Hun. Toute l'Europe tremblait. C'est pourtant en 451 qu'Attila connut à Châlons la seule défaite de son entreprise guerrière. Il mourut deux ans plus tard et son empire s'effondra. La comète de Halley fut peut-être un présage malheureux pour Attila, mais l'Europe n'eut qu'à s'en réjouir.

16 février 374. Elle est mentionnée dans les récits chinois.

17 mai 218. Elle est mentionnée dans les récits chinois.

20 mars 141. Elle est mentionnée dans les récits chinois. La comète de Halley disparaît pendant trois siècles des rapports astronomiques européens qui nous sont parvenus. Cela correspond à l'époque de l'Empire romain. Les Romains ne s'intéressaient guère à la science et les Grecs se souciaient surtout de philosophie et de théologie.

Cette pièce hollandaise commémore le retour de la comète de Halley en 1577.

26 janvier 66. Elle est mentionnée dans les récits chinois. Un passage des écrits de Josephus, l'historien juif, se réfère sans doute à elle en tant que présage de la chute de Jérusalem aux mains des Romains, laquelle adviendra quatre ans plus tard.

5 octobre 11 avant J.-C. Elle est mentionnée dans les récits chinois. Elle est également citée par un auteur grec qui la rattache à la mort d'Agrippa. C'est en outre vers cette époque qu'est né Jésus (on parle généralement de l'an 4 avant J.-C., mais il est possible que ce fut quelques années plus tôt ; la Bible est vague à cet égard). Cette apparition de la comète inspira peut-être à saint Matthieu le récit où figure l'Etoile de Bethléem. Certains astronomes qui étudièrent le ciel tel qu'il se présentait à l'époque de la Nativité croient

Cette pièce commémorative allemande de 1910 représente d'un côté Halley et de l'autre la planète à qui il donna son nom et qui traversa le ciel cette année-là.

Une peinture anglaise du XIXe siècle montre Jules César et son épouse, Calpurnia, observant ce qui semble être une comète. L'inquiétude sur le visage de Calpurnia suggère qu'un tel événement était de mauvais augure. Celle-ci aurait annoncé l'assassinat de César qui eut lieu le 15 mars 44 avant J.-C. (Une comète fut en effet signalée au mois de juin de cette année, soit trois mois après la mort de César, et fut interprétée comme un signe de son ascension aux cieux.)

que l'Etoile de Bethléem fut en fait inspirée par une conjonction des planètes Jupiter et Saturne, et non par une quelconque comète.

2 août 86 avant J.-C. Elle n'est pas mentionnée.

5 octobre 163 avant J.-C. Elle n'est pas mentionnée.

30 mars 239 avant J.-C. Elle est mentionnée dans les récits chinois.

316 avant J.-C. Elle n'est pas mentionnée.

392 avant J.-C. Elle n'est pas mentionnée.

467 avant J.-C. Elle est peut-être mentionnée dans les récits européens. On n'en trouve aucune trace auparavant.

Il est certain que toutes les comètes célèbres ne correspondent pas à un passage de celle de Halley. Ainsi, ni la comète de 44 avant J.-C., qui fut censée annoncer l'assassinat de César ni celle de 1577, dont Tycho Brahe essaya de calculer la distance par rapport à la Terre n'ont de rapport avec la comète de Halley.

CHAPITRE IV

DE VAGUES COMÈTES

L'excitation provoquée par le retour de la comète de Halley en 1759, et la prise de conscience du fait que les comètes devaient être des membres ordinaires du système solaire, ne réduisit en rien la peur engendrée par ces corps célestes particuliers. Des millions d'êtres incultes et superstitieux considéraient toujours les comètes comme des présages de désastre (ils croyaient en outre à maintes autres absurdités de même ordre). Ceci vaut toujours à l'heure actuelle.

En réalité une nouvelle terreur s'installa. Les planètes se déplaçaient selon des orbites légèrement elliptiques et immuables. Qui plus est, la distance les séparant ne se modifiait pas. Il n'en allait pas de même des comètes.

Il est vrai que les comètes étaient des membres à part entière du système solaire. Il est également vrai qu'elles suivaient des orbites spécifiques, mais celles-ci étaient très elliptiques et les amenait à proximité de toutes les planètes, y compris de la Terre. Une distance considérable les séparait de ces planètes mais la force d'attraction planétaire modifiait constamment leur orbite. Qu'adviendrait-il si un tel changement était responsable d'une collision entre la Terre et l'une de ces comètes ?

Ainsi, en 1711 un mathématicien anglais, William

Whiston (1667-1752), publia un ouvrage dans lequel il s'employait à démontrer que la comète de Halley avait une orbite plus longue que ne l'avait supposé son découvreur. Elle revenait à proximité de la Terre non pas tous les 75 ans, mais tous les 575 ans. Sept retours plus tôt, soit en 2345 avant J.-C., elle s'était approché très près de la Terre (affirmait-il), et la force d'attraction avait engendré d'énormes marées, la queue de la comète ayant heurté l'atmosphère terrestre et ayant provoqué une pluie torrentielle. Le résultat de cet événement fut pour le moins célèbre, puisqu'il s'agit du déluge auquel assista Noé. Whiston prédisait que, lors d'un retour prochain de la comète, la Terre serait projetée vers le Soleil et détruite par le feu.

En 1745 le naturaliste français, George L. L. de Buffon (1707-88), élabora une autre théorie catastrophique, quoique moins effrayante. Il suggéra qu'une comète avait heurté le Soleil 75 000 ans plus tôt. La matière qui émana du Soleil à la suite de ce choc se solidifia pour former les planètes, parmi lesquelles notre bonne vieille Terre.

Ces spéculations eurent des conséquences déplorables. Des individus qui n'accordaient auparavant nulle foi aux sombres présages et aux désastres astrologiques s'inquiétèrent de l'éventualité d'une catastrophe physique et de collisions cométaires.

En réalité, les hypothèses de Whiston et de Buffon sont dépourvues de fondement, ainsi que nous le verrons ultérieurement. J'expliquerai cependant dans le dernier chapitre de cet ouvrage qu'il est possible que les comètes soient responsables de catastrophes sur Terre, et que d'aucunes se soient déjà produites.

Après le retour de la comète de Halley, les astronomes n'eurent toutefois pas de temps à consacrer à d'éventuels désastres, passés ou à venir. Ils s'intéressèrent en revanche de plus en plus aux comètes qui étaient devenues le sujet le plus brûlant en astronomie.

Chacun désirait découvrir une comète et si possible

établir son orbite et prévoir son retour. Il existait désormais de bons télescopes permettant souvent de détecter de nouvelles comètes par ailleurs invisibles à l'œil nu. La plupart sont vagues et guère impressionnantes, mais une comète est toujours une comète.

Messier, qui avait été le premier professionnel à apercevoir la comète de Halley lors de son retour en 1759 fit une véritable fixation sur ces corps célestes. Ils devinrent son seul centre d'intérêt dans la vie. Il découvrit 21 nouvelles comètes en un demi-siècle d'observation; il était chagriné à chaque fois qu'un astronome en décelait une avant lui. Il fut sincèrement bouleversé par le décès de son épouse, mais il n'en regretta pas moins que le temps qu'il dut passer à son chevet l'avait empêché de poursuivre sa chasse aux comètes.

Il ne fait aucun doute que les comètes de Messier étaient parfaitement dépourvues d'intérêt en elles-mêmes; elles permirent néanmoins de préciser certains points. Il devint ainsi évident qu'il existait d'innombrables comètes — une raison supplémentaire pour qu'il soit absurde de voir en elle des oiseaux de mauvais augure. Elles étaient tout simplement trop nombreuses.

Le calcul des orbites et la prévision des retours s'avérèrent être une tâche plus complexe qu'il n'y paraissait de prime abord. Etablir l'orbite d'une comète en se fondant sur un passage unique était très ardu. Halley avait eu la chance de travailler sur une comète brillante, il lui était donc possible de retrouver ses apparitions précédentes, qui étaient bien référencées et lui fournissaient des renseignements supplémentaires, très précieux pour son travail.

Les multiples comètes vagues sur lesquelles travaillèrent les astronomes ultérieurs n'avaient pas été observées auparavant, pour autant qu'on le sache, et les tentatives pour déterminer leur orbite à partir d'un seul passage échouèrent.

Un artiste français munit la comète de bras avec lesquels elle brisait le monde dans cette vision cauchemardesque figurant la collision entre une comète et la Terre.

Un demi-siècle s'écoula après le retour de la comète de Halley en 1759 et il n'avait toujours pas été possible de déterminer l'orbite d'une autre comète. En désespoir de cause, certains astronomes émirent l'hypothèse que la comète de Halley était en fait un cas exceptionnel — les autres comètes n'avaient pas d'orbite elliptique et par conséquent ne traversaient qu'une fois le système solaire.

Un astronome suédois, Anders Johan Lexell (1740-84) enregistra toutefois un succès partiel en 1770. Il avait observé une comète vague et avait entrepris de calculer son orbite. Il avait constaté qu'elle était si petite que la comète revenait tous les 5, 6 ans. Hélas, on ne revit jamais la comète de Lexell — ainsi qu'on l'avait baptisée — après qu'elle eut dépassé le Soleil.

Cet artiste tourna en dérision la frénésie avec laquelle les curieux du XIX et du début du XXe siècles traquaient les comètes. Son dessin représente la « découverte » d'une comète par l'Observatoire de Greenwich en 1906.

Les astronomes se penchèrent par la suite sur l'étude de son orbite avant et après 1770 et découvrirent ce qu'il était advenu de la comète de Lexell. Elle avait à l'origine une orbite très longue ; mais en 1767 elle était passée à proximité de Jupiter, dont la force d'attraction lui avait conféré son orbite de 5, 6 ans. Elle dépassa le Soleil et revint en 1776, mais elle était si vague qu'apparemment personne ne la remarqua. Puis, sur son chemin de retour, elle repassa à proximité de Jupiter et son orbite se trouva une fois encore modifiée, mais en une ellipse d'une longueur telle qu'elle ne reviendra peut-être jamais dans les environs de la Terre. Dans le cas contraire, il est probable qu'elle serait considérée comme une nouvelle comète, car il n'existerait aucun moyen de la rapprocher de celle de Lexell.

La situation se modifia toutefois en 1802. Le mathématicien allemand, Karl-Friedrich Gauss (1777-1855) mit au point une nouvelle méthode mathématique pour calculer une orbite à partir de trois observations réalisées en des lieux très distants. La vie des astronomes s'en trouva facilitée de manière considérable.

La comète de Morehouse apparaît comme un corps vague, avec une queue longue et fine, sur cette photographie télescopique prise en 1908.

Lorsqu'en 1818, l'astronome français Jean-Louis Pons (1761-1831) découvrit une nouvelle comète, l'Allemand Johann Franz Encke (1791-1865), qui avait été l'élève de Gauss, entreprit d'estimer son orbite. Il y parvint en 1819 et l'on parle désormais de la planète de Encke. Il constata qu'elle avait une petite orbite et qu'elle faisait le tour du Soleil en seulement 3 ans 1/3. C'est en fait la plus petite orbite cométaire connue à ce jour, et la planète de Encke a été observée pratiquement lors de chacun de ses 40 retours depuis 1819.

L'artiste montre des villageois chinois esayant de chasser la comète de Halley de 1910 avec des torches et des feux de joie.

La comète de Encke fut la deuxième dont on réussit à calculer l'orbite et dont les retours purent être observés ; la comète de Halley étant bien évidemment la première. 114 années s'étaient écoulées entre ces deux événements ; la tâche fut nettement moins complexe par la suite. De nombreuses orbites de comètes ont été établies depuis lors ; Encke lui-même n'en calcula pas moins de 56.

Les astronomes sont désormais convaincus que toutes les comètes font partie intégrante du système solaire et que leurs orbites les amènent à proximité du Soleil suivant des périodes plus ou moins longues.

La comète de Halley fut photographiée à l'aide d'un télescope alors qu'elle approchait du périhélie en 1910.

Il est désormais possible de scinder les comètes en « comètes à période longue » et « comètes à période courte ». Celles appartenant à cette dernière catégorie ont des périodes de révolution inférieures à 200 ans ; la comète de Halley est une comète à période courte.

Les comètes à période longue ont des orbites si allongées qu'il est plus que difficile de les calculer en se fondant sur la petite section qu'elles franchissent à proximité du Soleil, et durant laquelle elles sont visibles. Plusieurs milliers, centaines de milliers, voire millions d'années peuvent s'écouler avant qu'elles n'aient complété leur orbite immense.

Les astronomes n'apercevront jamais deux fois de telles comètes, aussi brillantes et spectaculaires soient-elles. La dernière fois qu'elles se sont trouvées à proximité de notre planète, il n'y avait sur Terre aucun être intelligent pour les observer, au mieux les ancêtres primitifs de la race humaine. Qui sait ce que sera devenue l'humanité lors de leur prochain passage, et s'il subsistera certains de nos descendants pour les observer ?

CHAPITRE V

LA MORT DES COMÈTES

En 1806 l'astronome allemand Friedrich Wilhelm Bessel (1784-1846) découvrit une comète. Il étudia les rapports antérieurs, les passages à travers le ciel, et conclut qu'il devait s'agir du retour d'une comète aperçue par Messier en 1772. Bessel revint ensuite sur son hypothèse estimant qu'il avait commis une erreur dans ses calculs ; d'autres astronomes étaient persuadés qu'il ne s'était pas trompé. Cette controverse attira l'attention des professionnels.

Un officier de l'armée autrichienne, Wilhelm von Biela (1782-1856), qui était par ailleurs un astronome amateur, décida d'observer la comète en question qui était censée réapparaître en 1826 si l'hypothèse de Bessel était correcte. Il aperçut une comète le 27 février et suivit sa trajectoire dans le ciel pendant douze semaines. Il évalua ensuite son orbite — ce qui était désormais une tâche aisée grâce à Gauss — et constata que sa période de révolution était de 6 ans et 9 mois.

Il procéda à un calcul rétrograde et prouva que Bessel avait bel et bien eu raison. La comète, qui fut baptisée « comète de Biela », s'était manifestée en 1772, et était revenue quatre fois en passant inaperçue car il s'agissait d'une comète vague, avant d'être observée par Bessel. Deux passages ultérieurs n'avaient pas capté l'attention des astronomes, puis Biela l'avait vue et avait réussi à calculer son orbite.

La comète de Biela devint célèbre, en raison de la controverse, et plusieurs astronomes entreprirent d'établir son orbite avec grand soin, en prenant en considération les diverses attractions planétaires afin de se faire une idée précise de l'époque de son retour. Ils ne désiraient pas perdre de temps si d'aventure elle était promise au même destin que la comète de Lexell, c'est-à-dire projetée par les influences planétaires vers une nouvelle orbite, ou à l'extérieur du système solaire.

Un astronome allemand, Heinrich Wilhelm Olbers (1758-1840), détermina que son prochain retour aurait lieu en 1832. La comète de Biela passerait à proximité de l'orbite terrestre le 29 octobre se dirigeant vers son périhélie. En réalité, la Terre elle-même ne serait pas dans cette partie de son orbite mais à quelque 80 millions de kilomètres de là — les astronomes ignorèrent tout d'abord ce fait.

La conviction qu'une collision se produirait le 29 octobre 1832 ne tarda pas à se propager, et une peur de la comète à se forger. Les astronomes s'empressèrent de dénoncer ces rumeurs et la panique s'estompa de manière surprenante. La comète de Biela passa effectivement très près de l'orbite terrestre, ainsi que l'avait prédit Olbers, mais bien évidemment notre planète n'eut pas à en souffrir.

La comète de Halley revint et franchit le périhélie le 16 novembre 1835. Le public ayant tremblé sans raison trois années auparavant il accueillit cet événement avec un certain calme, d'autant que ce passage ne fut guère spectaculaire.

Le 10 novembre, alors que la comète de Halley passait à proximité du périhélie, un enfant naquit dans la petite ville de Florida, Missouri. Il se nommait

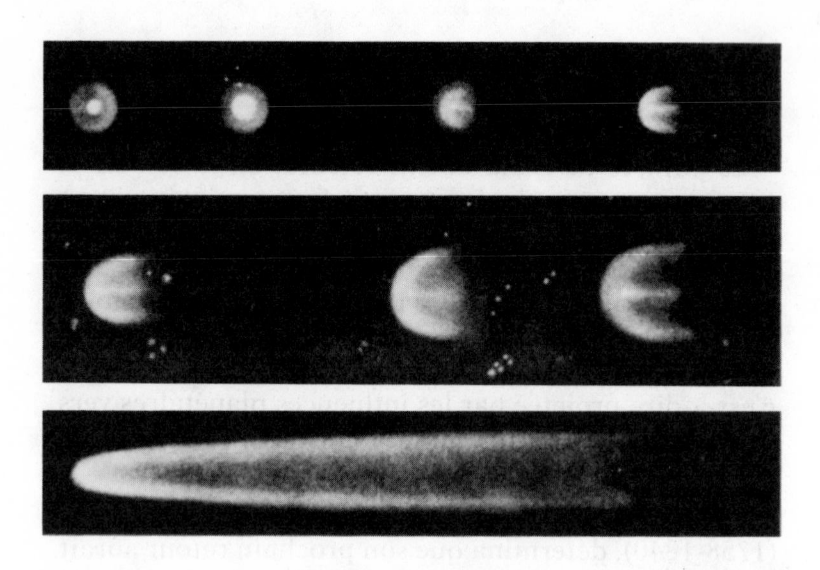

La tête de la comète de Halley et la croissance de sa queue, dessinées par un astronome français, sont représentées en divers points de son approche du périhélie en 1835-36. Les détails des comètes sont souvent plus précis lorsqu'ils sont dessinés par un observateur utilisant un télescope que dans des photographies prises à l'aide d'un télescope.

Samuel Langhorne Clemens et devint par la suite l'un des plus grands écrivains américains, plus connu sous le nom de Mark Twain.

La comète de Halley ayant disparu pour trois nouveaux quarts de siècle ; celle de Biela continua de présenter un intérêt tout particulier pour les astronomes. Elle réapparut en juillet 1839, puis en février 1846. Le premier à l'observer cette année-là fut un océanographe et un astronome américain, Matthew Fontaine Maury (1806-73). Il rapporta que deux comètes se déplaçaient côte à côte, chacune ayant sa

Un astronome britannique dessina avec soin la tête de la Grande Comète de 1861, représentant le noyau et la chevelure environnante tels qu'il les vit en juillet de cette année.

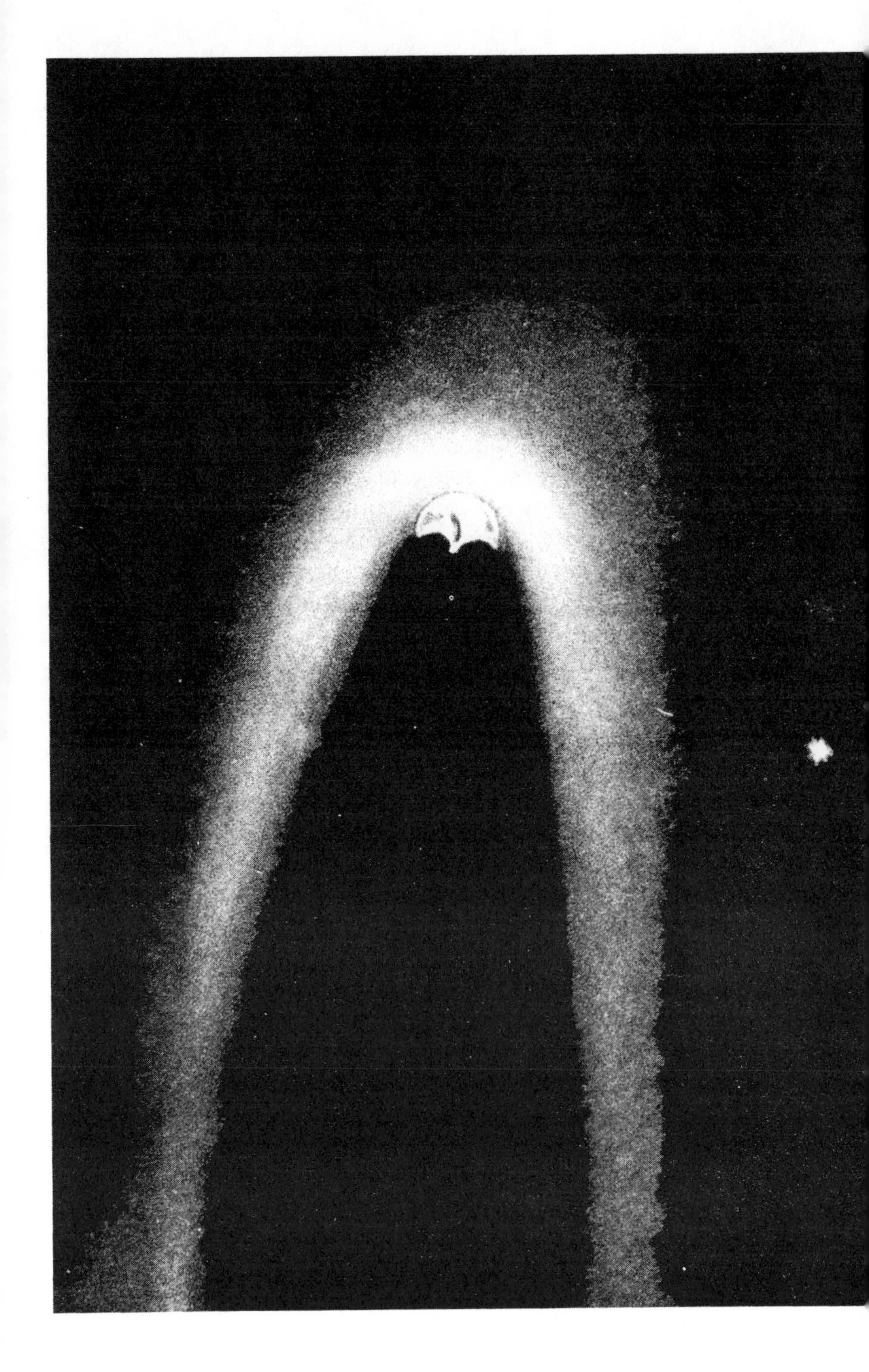

propre queue. La comète de Biela s'était apparemment scindée en deux parties.

En 1852, lors de son passage suivant, ce fut l'astronome italien Pietro Angelo Secchi (1818-78) qui l'aperçut le premier. Les deux éléments de la comète de Biela étaient désormais nettement séparés, l'un ayant même une certaine avance sur l'autre. On n'eut pas l'occasion de la revoir en 1859 car elle traversa le ciel au crépuscule ; or elle était trop vague pour être distinguée en l'absence d'une obscurité totale.

Elle aurait dû réapparaître en 1866 dans des conditions qui l'auraient rendue visible, mais elle ne revint pas. En fait, on ne revit jamais la comète de Biela. Pourtant, elle n'était pas passée à proximité d'une planète susceptible de modifier son orbite. Elle s'était tout simplement désagrégée et était, pour ainsi dire, morte. (Depuis lors d'autres comètes se sont également scindées et ont disparu.)

Le destin de la comète de Biela donna à penser que les comètes étaient peut-être des objets plutôt légers, voire immatériels, très différents des planètes. Cette réflexion contribua à soulager la peur du risque d'éventuelles collisions provoquant des déluges planétaires et autres catastrophes. En particulier, la conception de Buffon relative aux effets d'une collision cométaire avec le Soleil paraissait absurde. En fait, il arrive qu'une comète heurte le Soleil. Elle est alors détruite mais l'astre beaucoup plus vaste n'est nullement affecté par ce choc.

On a avancé plusieurs suggestions relatives à la structure des comètes, afin d'expliquer leur apparition et leur fragilité. La version presque unanimement acceptée de nos jours est celle de l'astronome américain Fred Lawrence Whipple (1906-). Elle est connue sous le nom de théorie de la « boule de neige sale » et je me souviens qu'il me l'exposa lors d'un déjeuner peu de temps après qu'il l'eut émise.

La queue de la comète de Halley diminue après qu'elle ait franchi le périhélie le 6 juin 1910.

Whipple suggéra qu'une comète était essentiellement une boule de substances glacées (une « boule de neige ») qui se transformerait en vapeur sous l'influence de températures supérieures. Les substances gelées qui la formeraient comprendraient de l'eau, bien entendu, mais également de l'ammoniaque, du méthane, du dioxyde de carbone, du cyanure d'hydrogène, etc. A l'intérieur de ces substances gelées, il y aurait des particules de poussière et des petits morceaux de matériaux solides, rocheux. (Ce sont ces éléments qui rendraient la boule de neige « sale ».) D'aucuns prétendent qu'une roche solide se trouve au centre ; d'autres soutiennent que la comète n'est que poussière et sable emprisonnés dans de la glace. D'autres encore affirment que la boule gelée mesure parfois plusieurs kilomètres de largeur et qu'il s'agit d'un objet petit, à peine remarquable tant qu'il demeure gelé.

Lorsque la comète se situe à proximité de l'extrémité lointaine de son orbite, elle demeure glacée et dure, et est de toute façon trop éloignée de la Terre pour être observable. Sa température s'élève toutefois au fur et à mesure qu'elle se rapproche du Soleil. Une partie de la glace s'évapore alors et la poussière qu'elle renferme est libérée. Le cœur de la comète qu'il s'agisse d'une roche solide ou de glace, brillerait comme une étoile en un point nommé « noyau », autour duquel il y aurait le halo de poussière ou « chevelure ». Celle-ci deviendrait de plus en plus longue en s'approchant du Soleil, jusqu'à acquérir, dans le cas d'une comète très grande, le volume d'une planète majeure. Une poussière immatérielle occuperait l'intégralité de ce volume. La chevelure s'étalerait en une queue qui pourrait avoir plusieurs centaines de millions de kilomètres, alors que toute la matière qu'elle renferme, si elle était rassemblée, n'occuperait pas plus d'espace qu'un salon, voire qu'une valise.

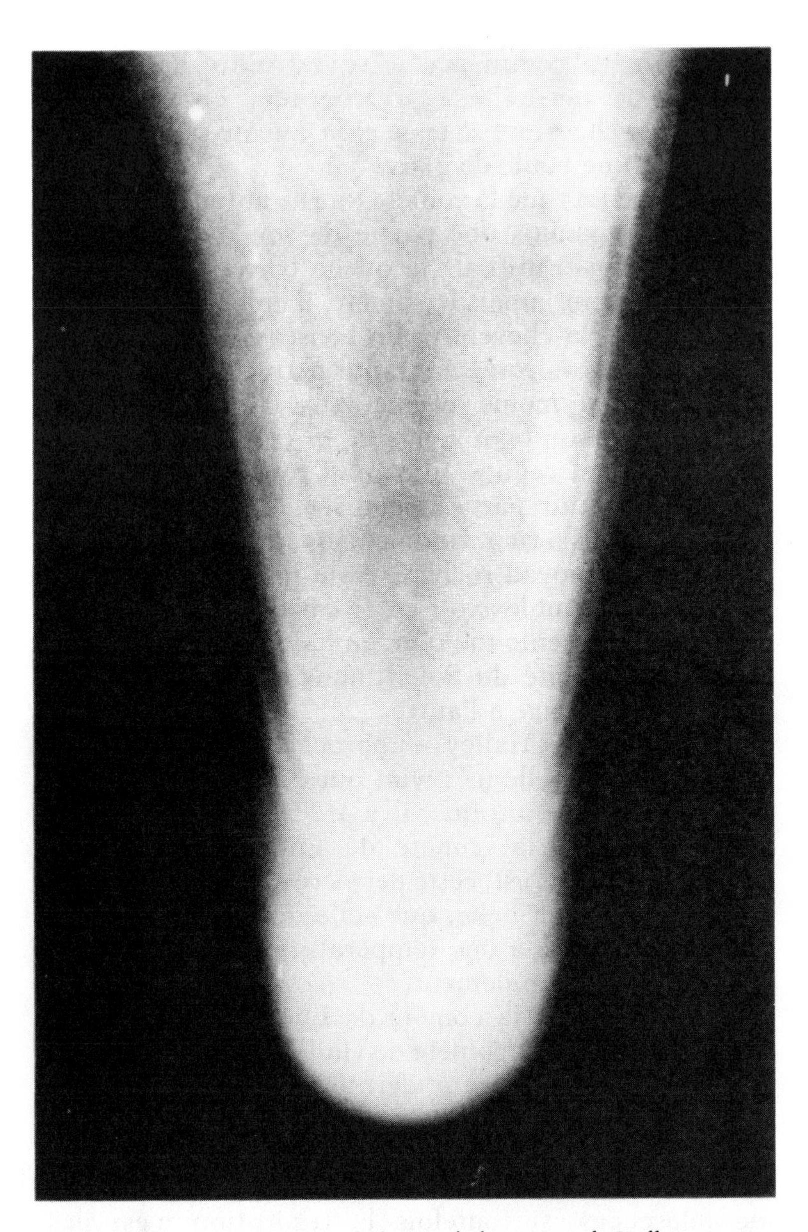

Un agrandissement de la tête de la comète de Halley
vue le 9 mai 1910

La comète commence à se refroidir lorsqu'elle franchit le périhélie et rétrograde. La queue se résorbe, la chevelure se tasse et la comète redevient en définitive une boule de glace.

A chaque fois que la comète tourne autour du Soleil, elle perd à jamais une partie de son matériau. Les éléments constitutifs de la queue traversent l'espace et ne regagnent jamais la comète. Il en va de même du matériau de la chevelure. En conséquence, à chacun de ses retours, la comète est plus petite qu'auparavant et de moins en moins spectaculaire.

C'est la raison pour laquelle les comètes à période courtes sont si vagues. Elles sont revenues si souvent qu'elles ont fini par s'amenuiser. Il arrive qu'elles soient réduites à rien, comme dans le cas de la comète de Biela. Un noyau rocheux reste parfois à la traîne, comme cela semble avoir été le cas pour la comète de Encke, qui présente toujours un halo faible lorsqu'elle passe à proximité du Soleil, mais qui ne se modifie guère d'un passage à l'autre.

La comète de Halley n'approchant du Soleil que tous les 77 ans, elle ne revint que 32 fois depuis l'âge d'or de la Grèce antique, il y a 2 500 ans. Durant la même période, la comète de Encke se manifesta 750 fois. Qui plus est, cette dernière est plus proche du Soleil, en son périhélie, que celle de Halley, de sorte qu'étant soumise à une température plus élevée, elle s'évapore plus rapidement.

Voilà pourquoi la comète de Encke est quasiment morte, alors que la comète de Halley est toujours bien vivante, même si cette dernière n'est plus l'objet spectaculaire qu'elle fut autrefois. Le jour viendra, dans plusieurs milliers d'années, où elle sera réduite à la taille d'un objet vague, visible uniquement à l'aide de télescopes, si toutefois la résorption n'est pas intégrale.

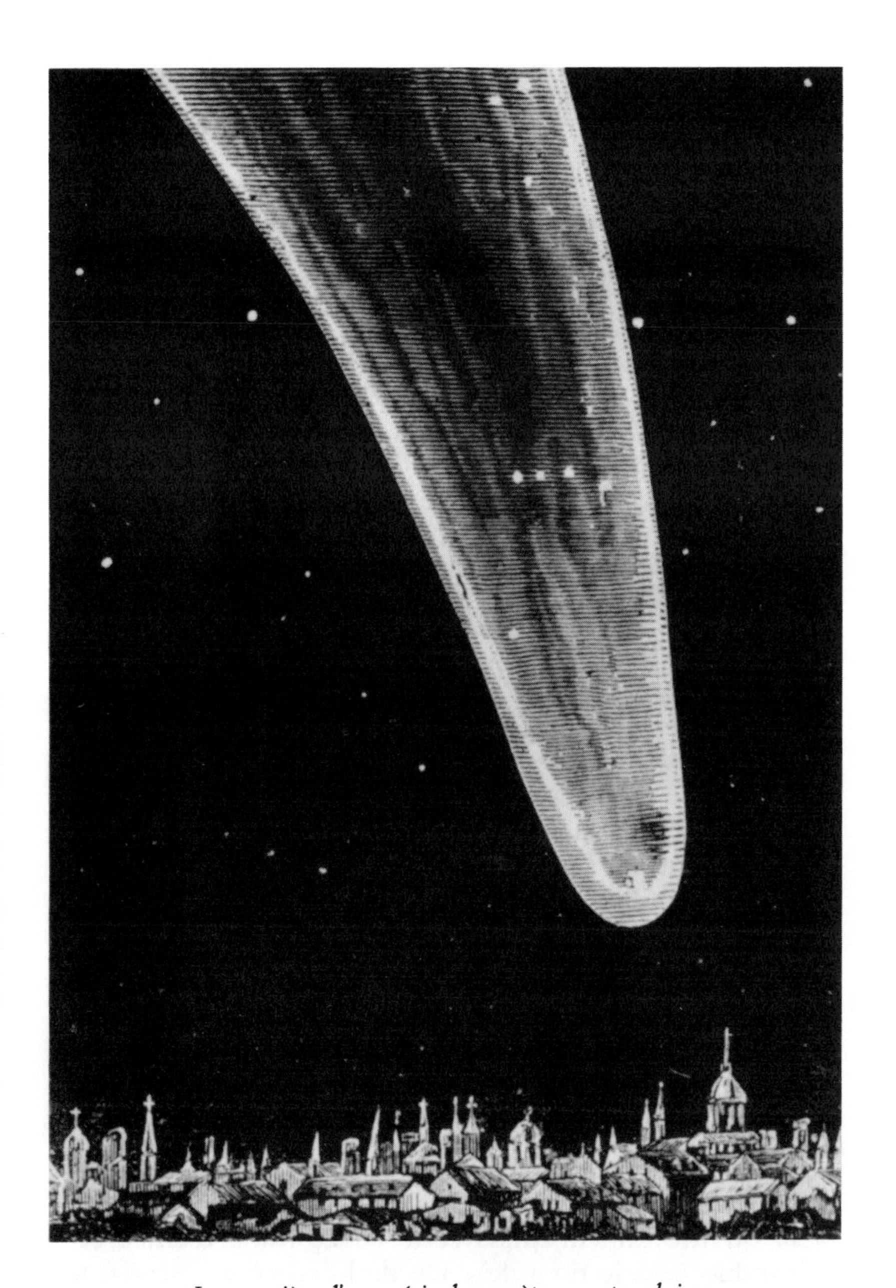

La première d'une série de comètes spectaculaires aperçues au XIXe siècle fut ce doigt de lumière géant, la Grande Comète de 1811.

CHAPITRE VI

LES COMÈTES DU XIXe SIÈCLE

Il est certain que les comètes les plus spectaculaires sont celles possédant une très longue orbite qui ne les amène à proximité du Soleil qu'une fois tous les « x » milliers d'années. N'étant pas affectées par une résorption excessive de leur substance, elles engendrent des chevelures et des queues aussi immenses que spectaculaires en approchant du Soleil. On les qualifie parfois de « nouvelles comètes », dans la mesure où elles n'ont eu que peu d'occasions de subir des modifications et que leur passage sera en fait le premier observé de manière scientifique.

Plusieurs de ces « nouvelles » comètes traversèrent le ciel au cours du XIXe siècle.

En 1811, par exemple, une énorme comète se manifesta, avec une queue qui s'étalait sur quelque cent cinquante millions de kilomètres (une distance supérieure à celle séparant le Soleil et la Terre). Elle demeura visible pendant un an et demi et fut très brillante pendant plusieurs semaines. Le Portugal profita cette année-là d'une excellente production de porto. La comète n'avait exercé aucune influence sur la qualité du vin, mais cette cuvée fut présentée et vendue sous le nom de « vin de la comète » pendant plus d'un demi-siècle.

Au cours des siècles précédents, une comète aussi

La Grande Comète de mars 1843, survolant Paris, fut un véritable « gratte-soleil » ; elle tourna autour du Soleil à la vitesse de 2 030 000 kilomètres/heure à une distance d'à peine 128 000 kilomètres de sa surface.

spectaculaire aurait plongé l'Europe dans une peur panique. L'Empereur Napoléon ne se soucia apparemment pas de la comète, et il eut tort. Le corps céleste avait à peine disparu lorsqu'il se lança dans la campagne de Russie, qui s'acheva pour lui par un désastre total lequel n'est pas étranger à sa défaite finale.

En 1843 apparut une comète qui était probablement encore plus brillante que celle de 1811, mais elle traversa une région céleste guère visible d'Europe. Sa queue était droite et étroite et s'étendait sur un quart du ciel.

La comète de 1843 fut remarquable du fait que son périhélie était très proche du Soleil. La comète de Halley ne passe jamais à moins de 85 millions de kilomètres du Soleil, tandis que la comète de Encke s'en approche à quelque cinquante millions de kilomètres. La comète de 1843 n'était éloignée que de 800 000 kilomètres du centre du Soleil lorsqu'elle atteignit son périhélie, et de guère plus de 130 000 kilomètres au point le plus proche de son orbite. Plus un objet s'approche du Soleil, plus sa vitesse est grande et la comète de 1843 se déplaçait à une allure telle au périhélie qu'elle parcourut trois quarts du tour du Soleil en moins d'une journée. Sa vitesse était de 560 kilomètres/seconde. C'est grâce à cette vélocité qu'elle survécut.

La comète de 1843 appartient à une catégorie spécifique connue sous le nom de « gratte-soleil », à laquelle n'appartient pas la comète de Halley. S'il n'en était pas ainsi, deux ou trois passages auraient suffi à sa résorption partielle à l'état de noyau rocheux, ou à sa désintégration intégrale.

Le 2 juin 1858, l'astronome italien Giovanni Battista Donati (1826-73) aperçut une comète, connue depuis lors sous le nom de comète de Donati. Ce fut la troisième nouvelle comète du siècle. Le fait qu'elle avait plusieurs queues, qui changeaient de temps à autre de forme, était plus important que sa brillance. On constata également des distorsions de la chevelure.

Les observations de la comète de Donati établirent que des gouttes de gaz étaient émises lorsque la surface cométaire se réchauffait. Ceci n'est pas surprenant si l'on en croit la théorie moderne relative à la structure de la comète. Il est possible que des croûtes de matériaux rocheux englobent de la glace. Celle-ci se vaporisant produit une accumulation de vapeur qui fait en définitive exploser le matériau rocheux, affectant la forme de la chevelure et de la queue. Ces explosions agissent telles des fusées propulsant le corps céleste vers l'avant, vers l'arrière ou sur le côté. Elles modifient en conséquence leur orbite, y compris en l'absence d'influences planétaires. C'est pour cette

L'astronome italien Giovanni Donati observa en juin 1858 une comète très brillante, dotée d'une queue de poussière et d'une ou de plusieurs queues gazeuses.

raison que même lorsque toutes les attractions planétaires ont été prises en considération, les comètes sont toujours susceptibles d'atteindre le périhélie un peu avant ou après le moment estimé.

En 1864, Donati fut le premier à obtenir le spectre d'une comète ; en d'autres termes, à analyser les longueurs d'onde de la lumière émise. Le spectre possédait des lignes noires, des endroits indiquant qu'aucune couleur correspondant à cette longueur d'onde n'était émise. De telles lignes révèlent que certaines substances entourant la comète ont absorbé de la lumière et il est possible de définir grâce à la position de ces lignes sombres dans le spectre la nature chimique de ces substances absorbantes. En 1868, l'astronome anglais William Huggins (1824-1910) réussit à identifier certaines des substances se trouvant dans la chevelure. Ce fut le premier pas vers la théorie de la structure cométaire que développera Whipple plus de quatre-vingts années plus tard.

Entre-temps une quatrième comète nouvelle apparut en 1861. Elle fut décelée pour la première fois au fin fond de l'hémisphère sud ; mais les Australiens qui la virent ne disposaient d'aucun moyen de communiquer avec l'Europe ou les Etats-Unis si ce n'est par bateau. Lorsque la nouvelle arriva à destination, la comète avait atteint la partie de son orbite où elle était visible de l'hémisphère nord, de sorte qu'elle prit les Européens et les Américains par surprise. La comète de 1861, à l'instar de celle de Donati, avait une queue présentant une structure complexe et changeante.

Ce fut une très grande comète car elle évoluait relativement près de la Terre. En son point le plus rapproché, elle n'en était éloignée que de 17,6 millions de kilomètres, soit moins de la moitié de la distance nous séparant de Vénus, la planète la plus proche de nous. Vers le 30 juin, la queue de la comète balaya la Terre. Aucune conséquence fâcheuse n'en résulta, car, en dépit de son apparence impressionnante, elle était quasiment immatérielle. Il y eut toutefois des Américains pour voir dans la comète de 1861 le signe précurseur de la Guerre Civile qui ne tarderait pas à éclater (Comme si une comète avait été nécessaire pour prévoir cette tragédie !)

La cinquième et dernière nouvelle comète du XIXe siècle se manifesta en 1882. Un petit fragment s'en détacha, qui devint de plus en plus ténu et finit par disparaître — un autre signe de la fragilité des comètes. La comète de 1882 suivait la même orbite

La Grande Comète de 1860-61 avait une queue magnifique qui balaya la Terre (sans provoquer d'effet notoire) vers la fin juin. Certains Américains virent en elle le signe précurseur de la Guerre Civile.

que celle de 1843 et était elle aussi du type « gratte-soleil ». Il ne pouvait cependant s'agir de la même ; il était hors de question que celle de 1843 revienne après un délai d'à peine 39 ans.

Il est désormais établi qu'il existe toute une série de gratte-soleil suivant la même orbite. Rien n'interdit d'avancer qu'il s'agit des morceaux d'une comète unique qui explosa lors d'un passage précédent à proximité du Soleil, il y a plusieurs milliers d'années. Les fragments réapparaissent à la queue leu leu, d'aucuns ayant quelque peu ralenti, d'autres accéléré.

L'astronome écossais David Gill (1843-1914) travaillait dans un observatoire situé en Afrique du Sud lorsqu'il photographia la comète de 1882, réalisant ce faisant la première bonne photographie d'une comète. En 1894, son collègue américain Edward Emerson Barnard (1857-1923) prit une photographie télescopique d'une portion de ciel et y décela une comète inconnue. Depuis cette époque, de plus en plus de découvertes ont été réalisées à l'aide de la photographie et de moins en moins à l'œil nu ou assisté d'un télescope. Cette technique et d'autres permettent la découverte chaque année de quelque trente comètes.

Les cinq nouvelles comètes apparues dans les années 1800, observées dans une période de 71 ans, avaient toutes des périodes de plusieurs milliers d'années. Les fractions de leur orbite énorme durant lesquelles elles furent visibles étaient trop petites pour permettre, à l'époque, un calcul précis. Tout comme il n'existait aucun moyen de prévoir leur arrivée, il n'existe aucun moyen de prévoir leur retour.

Après 1882 il n'y eut plus de nouvelle comète vraiment spectaculaire — pas une seule. En fait la plus brillante traversa le ciel de l'hémisphère nord en 1910, et ce fut une fois encore la comète de Halley, qui revenait pour la troisième fois depuis que Halley avait calculé son orbite.

Les télescopes et la photographie permirent cependant de détecter la comète de Halley bien avant qu'elle ne devienne visible à l'œil nu, et de la suivre longtemps après qu'elle eut cessé de l'être. La première photographie fut réalisée le 11 septembre 1909, la dernière le 1er juillet 1911 ; après cette date elle dépassa l'orbite de Jupiter.

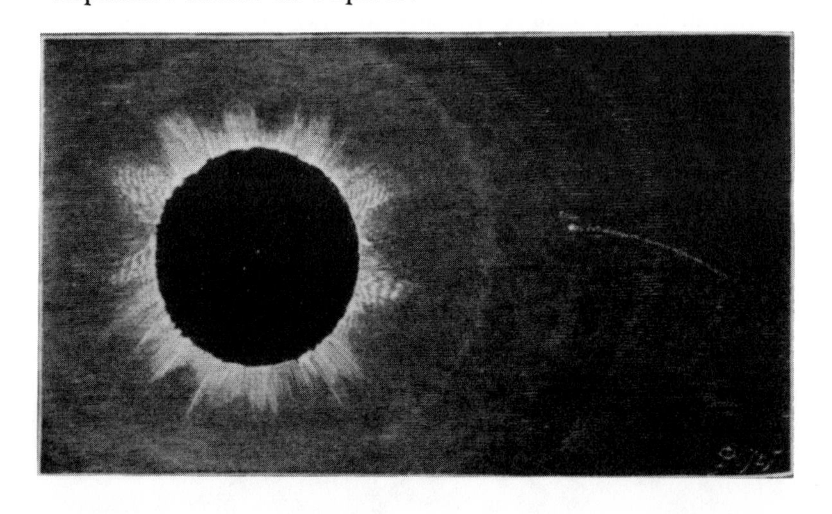

La grande comète de septembre 1882, une autre « gratte-soleil », brilla avec intensité durant une éclipse du Soleil le 17 mai.

La comète de Halley dépassa le périhélie le 20 avril 1910, avec trois jours de retard sur les prévisions, et ceci en dépit du fait que les calculs avaient pris en considération tous les effets gravitationnels possibles. Ce décalage était vraisemblablement imputable à l'effet de fusée de l'échauffement explosif de sa surface.

Même en 1910 la peur de la comète fut considérable. Il semblait très probable que la Terre passerait à travers la queue de la comète. Les astronomes rassurèrent le public, en expliquant que les effets seraient imperceptibles (comme dans le cas de la comète de 1861), mais de nombreuses personnes n'en demeuraient pas moins convaincues que ce passage entraînerait la destruction de la vie sur Terre, sinon de la planète même. Des marchands peu scrupuleux firent fortune en vendant des « pilules de la comète » qu'ils présentaient comme des antidotes contre l'effet des gaz nocifs censés être libérés dans l'atmosphère par la queue de la comète de Halley.

Est-il utile de préciser que la Terre et la vie qu'elle abrite ne souffrirent nullement du passage de la comète ?

En 1910 Mark Twain mourut. Lorsque ses proches le rassurèrent quant à l'issue de sa maladie, il hochait la tête et disait : « Je suis venu avec la comète et je partirai avec la comète. » Il mourut le 21 avril, le lendemain du jour où elle franchit le périhélie.

CHAPITRE VII

QUEUES DE COMÈTES ET MÉTÉORES

La première découverte scientifique relative aux comètes fut que leurs queues paraissent toujours orientées à l'opposé du Soleil. Mais pourquoi en est-il ainsi ?

Lorsqu'un objet se déplace sur Terre à une grande vitesse, par une journée sans vent, en émettant de la fumée (comme par exemple une locomotive à vapeur), nous ne sommes pas surpris que la fumée forme une queue s'étalant dans le sens opposé à celui de la marche de l'objet. Ceci est dû au fait que la résistance de l'air a un effet plus grand sur les minuscules particules de fumée que sur la masse du train. La fumée est donc ralentie et traîne derrière le train.

Toutefois, la fumée émise dans un espace vide se déplacerait à la même vitesse que l'objet. Elle ne resterait donc pas à la traîne.

Une comète s'approchant du Soleil, le matériau poussiéreux de sa chevelure s'étend derrière elle ; or la comète se déplace dans un espace vide. En outre, la comète contournant le Soleil, la queue elle aussi effectue un mouvement tournant, de sorte qu'à tout moment elle est orientée à l'opposé du Soleil.

Lorsque la comète se situe à mi-parcours de son trajet autour du Soleil, sa queue pointe toujours dans la direction opposée à celle de l'astre. Elle forme donc

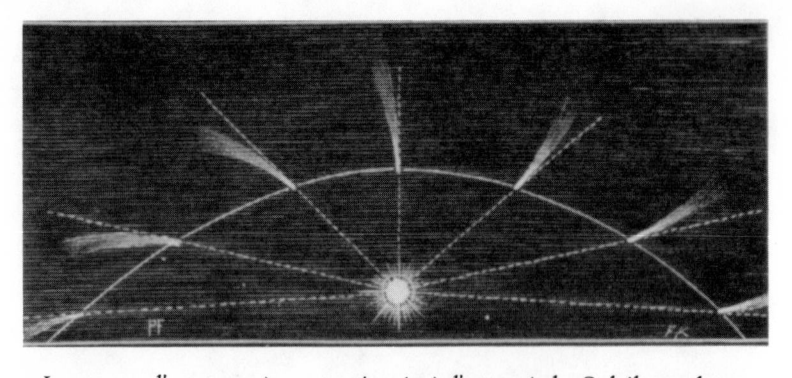

La queue d'une comète est orientée à l'opposé du Soleil en chaque point de son orbite. Lorsqu'elle a contourné le Soleil et repart vers l'autre extrémité de son orbite, sa queue pointe dans la direction de son mouvement « soufflée » par le vent solaire.

un angle droit par rapport au déplacement de la comète.

La comète ayant achevé son circuit autour du Soleil, elle repart vers les régions les plus lointaines de son orbite ; sa queue étant toujours orientée à l'opposé du Soleil *précède* en fait la comète.

Etant habitués à des mouvements à travers l'atmosphère, ceci nous paraît être un bien étrange phénomène. Il serait surprenant de voir une locomotive se déplacer sur ses rails alors que la fumée émanant de sa cheminée pointerait vers le ciel voire dans le sens de la marche de l'engin. Il faudrait, pour justifier cette anomalie, supposer la présence d'un vent particulièrement puissant, capable de modifier la direction logique de la fumée.

Se pourrait-il qu'il émane du Soleil une sorte de « vent » capable d'influencer la direction de la queue ?

Nous savons que le Soleil projette dans toutes les directions de la lumière et d'autres radiations. Le physicien écossais James Clerk Maxwell (1831-79), fit remarquer, dans ses études théoriques, qu'une telle radiation devait exercer une pression telle que son courant agirait comme un vent très faible.

En 1901, le scientifique russe Peter Nicolaevich Lebedev (1866-1911) utilisa des miroirs très légers suspendus dans le vide pour mesurer la pression de ces radiations, et prouva qu'elles existaient réellement. On considéra ensuite pendant près d'un demi-siècle que la pression de radiation était en fait responsable du comportement de la queue des comètes. Celle-ci poussait continuellement la poussière de la chevelure en une queue orientée à l'opposé du Soleil, la contraignant progressivement à se dissiper à travers les vastes étendues vides de l'espace.

Il s'avéra toutefois que la pression de radiation, quoique irréfutable, n'était pas assez puissante pour expliquer les queues des comètes. Fallait-il en déduire qu'il émanait autre « chose » du Soleil ?

Un savant anglais, Edward-Arthur Milne (1896-1950) étudia, au cours des années 1920, le comportement de l'atmosphère solaire de manière très détaillée. Il calcula la force d'attraction agissant vers l'intérieur et la pression de radiation agissant vers l'extérieur. Il eut le sentiment que la pression de radiation était telle à la surface du Soleil qu'il lui serait possible de projeter vers l'espace des particules à des vitesses prodigieuses — même compte tenu de la force d'attraction.

La particule la plus courante entrant dans la constitution du Soleil est le noyau atomique d'hydrogène, qui est un proton chargé électriquement. Milne avança qu'il existerait un courant de particules chargées électriquement qui émanait du Soleil dans toutes les directions.

Vinrent les années 1950 et les scientifiques disposèrent de fusées pour étudier les régions de l'espace au-delà de l'atmosphère terrestre. Le physicien italo-américain, Bruno Rossi (1905-) prouva qu'il était exact que des particules chargées électriquement étaient projetées à grande vitesse du Soleil et au-delà de la Terre. On parle aujourd'hui de « vent solaire ».

Les astronomes sont désormais convaincus que c'est ce vent solaire qui balaye la chevelure des comètes en de longues queues. Il n'est donc pas surprenant que ces dernières soient toujours orientées à l'opposé du Soleil ni qu'elles précèdent les comètes lorsque celles-ci s'en éloignent. Le vent solaire est beaucoup plus rapide que les comètes, il entraîne donc et projette vers l'avant la poussière entourant la comète.

Qu'advient-il du matériau perdu par la queue ? S'évapore-t-il purement et simplement ?

Rien ne s'évapore jamais, bien sûr. Les vapeurs de la queue se répandent dans l'espace en tant qu'atomes ou que molécules individuels. Des moyens subtils permettraient de les déceler, en dépit du fait qu'elles ne nous affectent pas. Mais qu'advient-il des fragments de roches qui forment, avec les vapeurs, la chevelure ? Où se perdent-ils ?

Ils s'écartent de la comète, la précédant ou la suivant, en nombre toujours plus élevé au fur et à mesure que la comète se désagrège au cours de ses approches successives du Soleil.

Lorsque la comète est totalement désintégrée, comme celle de Biela, les petits fragments de roche courent en définitive sur toute l'étendue de son orbite. Ceci est dû à l'action du vent solaire et à l'attraction qu'exercent les planètes sur les fragments passant à leur proximité. Il subsistera toutefois une concentration assez importante de ces débris dans les environs du point où devrait se situer la comète.

Il existe des traces visibles de ces morceaux rocheux.

Quiconque observe le ciel par une nuit sans lune apercevra tôt ou tard de minuscules traits de lumière qui ne durent guère plus d'une seconde. Les enfants s'imaginent parfois, ainsi d'ailleurs que certains

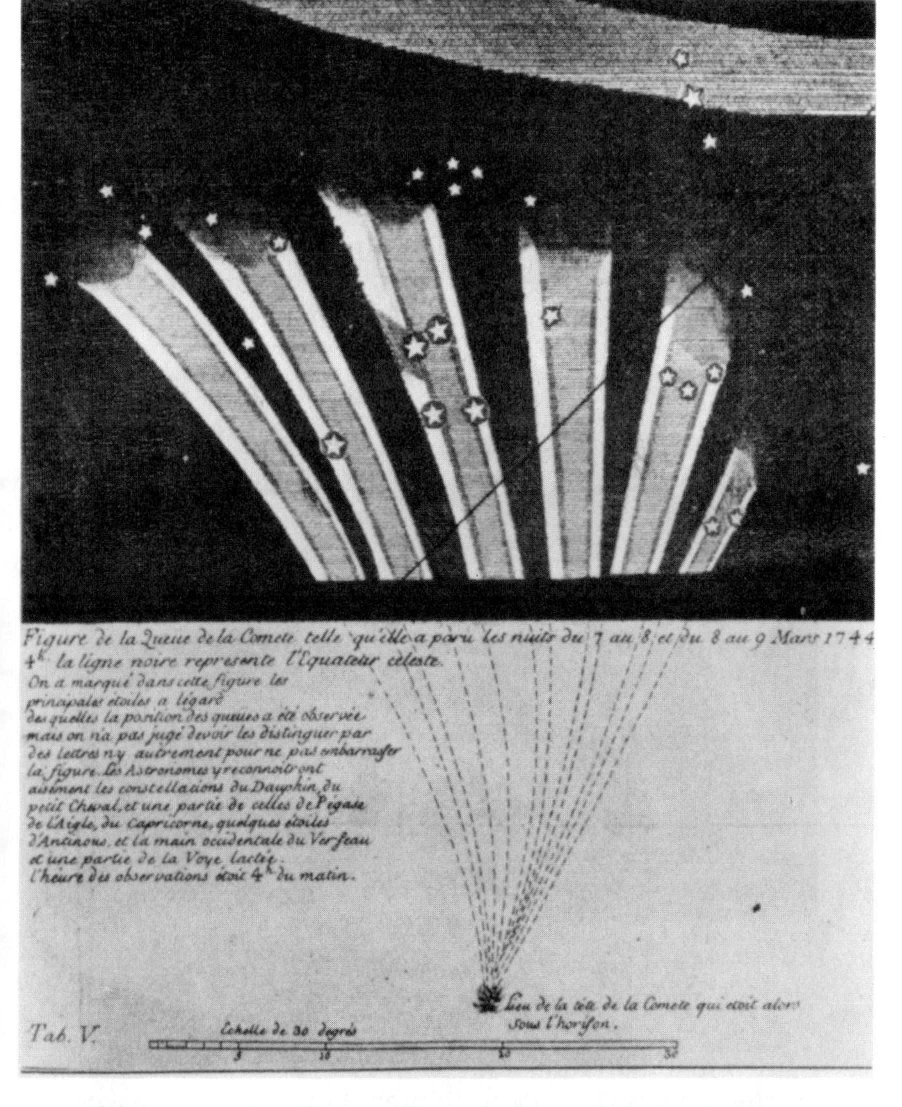

L'astronome suisse Cheseaux illustra les queues de la Grande Comète de 1744. En mars, la tête de la comète se situait au-dessous de l'horizon pour les observateurs européens.

adultes, qu'il s'agit d'une étoile qui tombe ; en fait ne parle-t-on pas d' « étoile filante » ?

Il ne peut s'agir d'étoiles car en dépit de la fréquence de ces rais lumineux jamais une seule étoile ne manque au firmament. Aristote devina qu'il devait s'agir d'un simple phénomène atmosphérique, des éclairs de lumière dans la haute atmosphère, et il s'avéra avec le temps qu'il avait raison. Ces étoiles filantes sont en réalité des « météores » du grec *meteôros* signifiant « élevé dans les airs ».

Un artiste observa et illustra en mars 1744 les six queues de la comète de Cheseaux.

Il y eut autrefois maints rapports relatifs à des roches ou des blocs de fer tombant du ciel. La science moderne se développant après les années 1600, les scientifiques se montrèrent sceptiques à l'égard de tels récits. Ils paraissaient incroyables.

Le premier scientifique à prendre au sérieux les histoires d'objets tombant du ciel fut le naturaliste suisse, Johann Jakob Scheuchzer (1672-1733). Il postula en 1697 que les pierres en question pourraient avoir quelque rapport avec les météores.

Cette suggestion fut rejetée, mais les récits de pierres tombant du ciel se faisaient de plus en plus nombreux, et un siècle plus tard, le physicien allemand Ernst Florens Friedrich Chladni (1756-1827) s'intéressa à la question. Il rassembla de telles pierres et les étudia. En 1794, il publia un livre dans lequel il affirmait que de petits morceaux de matière évoluant dans l'espace entraient de temps à autre en collision avec la Terre. Ces objets traversaient l'air à grande vitesse; la résistance opposée par ce dernier les chauffait à blanc jusqu'à ce qu'ils commencent à s'évaporer. La traînée de matière ainsi chauffée constituait le météore. La partie non évaporée qui venait s'écraser sur la terre correspondait aux objets tombés du ciel.

L'explication de Chladni paraissait tellement sensée que le monde scientifique s'en trouva ébranlé. En 1803, le physicien français Jean-Baptiste Biot (1774-1862) enquêta sur une chute de plusieurs milliers de fragments enregistrée dans le nord de la France. Son rapport régla la question. Des roches et des blocs de fer tombaient bel et bien du ciel. Les météores ayant atterri sur notre planète furent baptisés « météorites ».

Tous les météores ne produisent pas des météorites. Ainsi, en novembre 1833 se déclencha une « pluie de météores ». Des observateurs sidérés de la Nouvelle Angleterre virent le ciel nocturne se transformer en une série interminable de traînées de lumière aussi épaisses que des flocons de neige. Il y en avait des centaines de milliers. Certains spectateurs s'imaginèrent que toutes les étoiles du ciel tombaient les unes après les autres (comme il est prédit dans l'Apocalypse de St Jean) et que la fin du monde était proche. Le jour se leva pourtant comme tous les matins et la

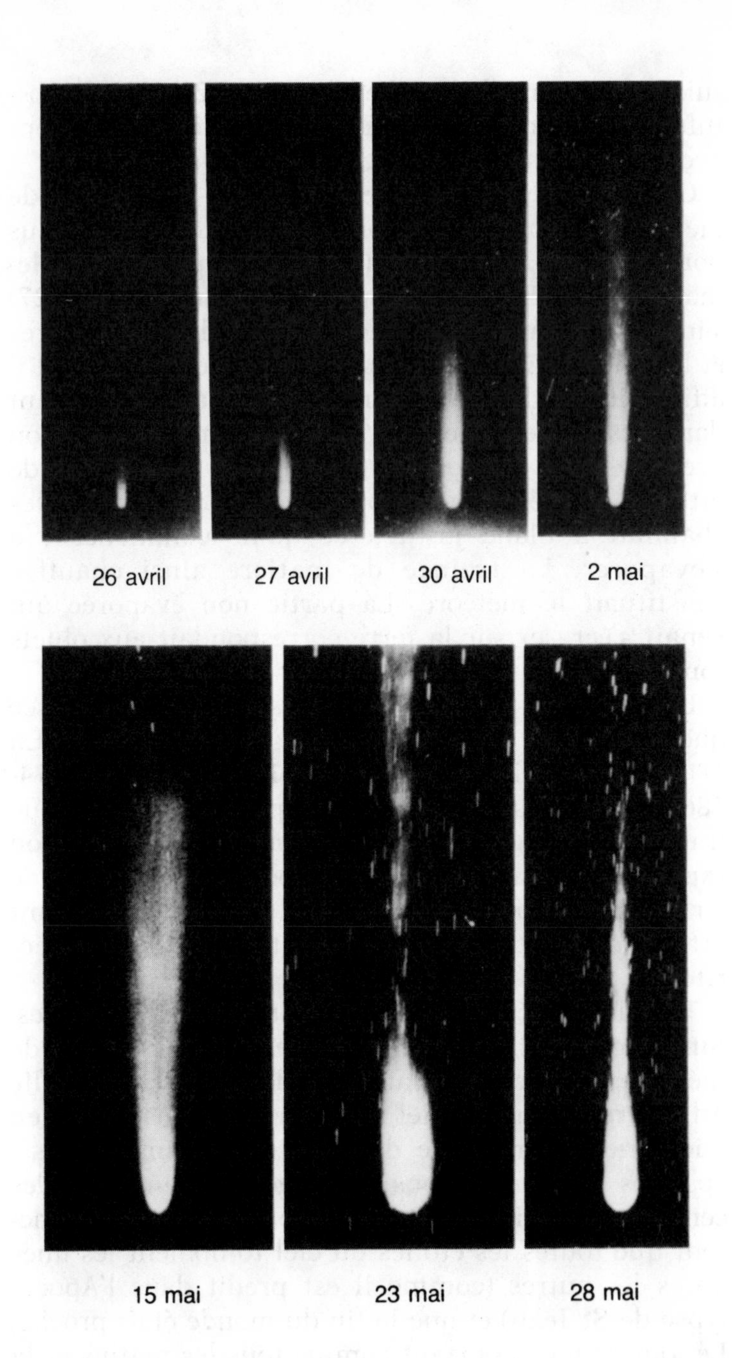
26 avril
27 avril
30 avril
2 mai
15 mai
23 mai
28 mai

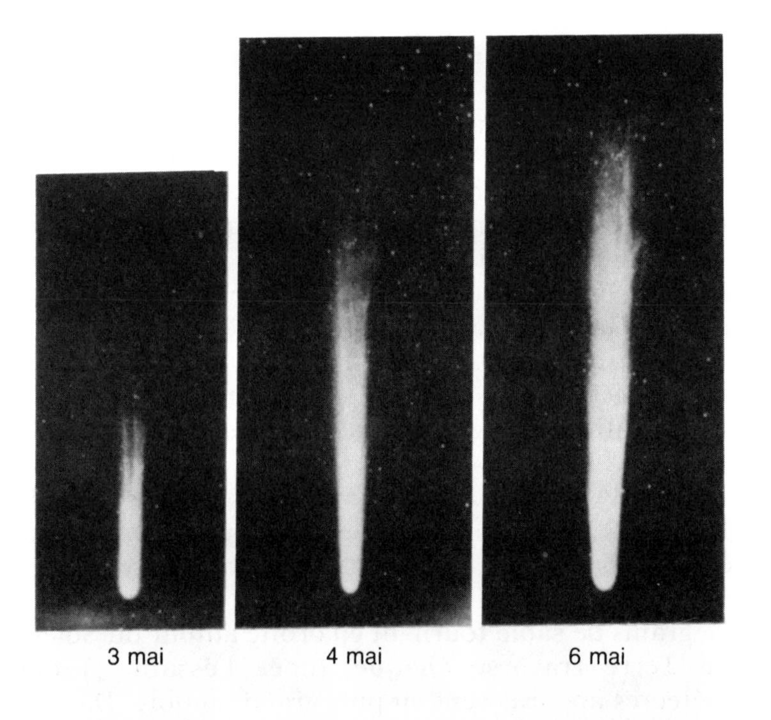

Ces photographies télescopiques montrent le développement et la récession de la queue de la comète de Halley en 1910.

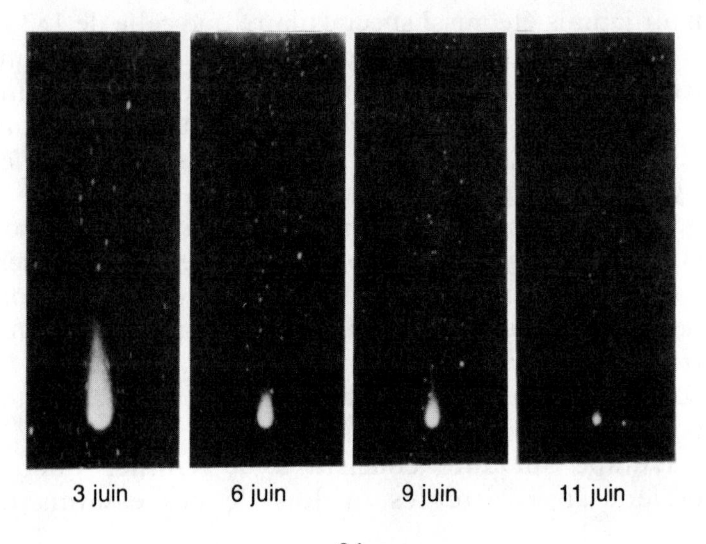

nuit suivante, toutes les étoiles illuminaient toujours le firmament.

La majorité des météores sont des traînées de lumière produites par de minuscules morceaux de grès, pas plus volumineux que des grains de sable. Ils s'évaporent totalement alors qu'ils sont toujours dans l'air et il n'en subsiste rien qui puisse heurter le sol de la Terre. On ne découvrit aucune météorite le lendemain de la « grande pluie » de 1833.

Les traînées de lumière de cette nuit mémorable paraissaient toutes émaner d'un point situé dans la constellation du Lion. Ces météores furent donc baptisés les « Léonides ».

En 1834 l'érudit américain Denison Almsted (1791-1859), qui avait été témoin de cette pluie, proposa une explication qui est, depuis, généralement acceptée.

Les Léonides, dit-il, sont pour ainsi dire, un essaim de grains de sable tournant en orbite autour du Soleil. La Terre traverse chaque année l'essaim et des météores apparaissent en plus grand nombre. Dans le cas des Léonides, la Terre traverse une région particulièrement dense de l'essaim tous les 33 ans, et il se produit donc une pluie de météores (quoique aucune n'ait jamais été aussi spectaculaire que celle de 1833).

Il existe d'autres pluies de météores dont les rayons irradient d'un point d'une constellation ou d'une autre. Toutes portent le nom de la constellation dont elles émanent, comme par exemple les Perséides, les Lyrides, les Aquarides, etc.

En 1861, l'astronome américain Daniel Kirkwood (1814-95), suggéra, en se fondant peut-être sur l'observation de la comète de Biela qui se désintégrait alors nettement, que tous les essaims de particules que traversait la Terre étaient constitués des débris de comètes mortes, qui suivaient en fait leur ancienne orbite.

L'étape suivante consista à déterminer quelles étaient en réalité les orbites de ces essaims de

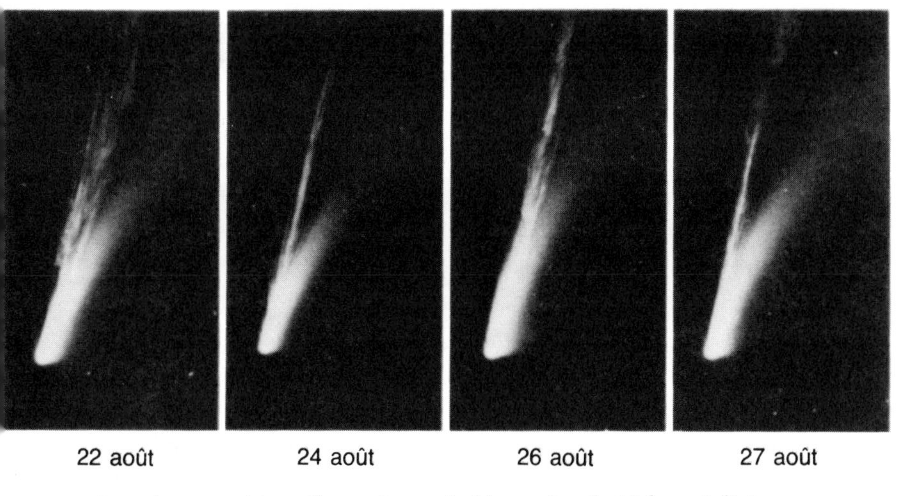

Ces photographies télescopiques de la comète de Mrkos réalisées en 1957 montrent les deux queues de la comète — l'une de poussière légèrement incurvée, à droite, l'autre de gaz plus rectiligne, à gauche.

météores. En 1866, l'astronome italien Giovanni Virginio Schiaparelli (1835-1910) réussit à montrer que l'essaim de météores correspondant à la constellation de Persée avait en fait une orbite semblable à celle d'une comète. En outre, il s'agissait d'une orbite correspondant à une comète observée en 1862.

Peu de temps après, l'astronome français Urbain Jean Joseph Leverrier (1811-77), et l'Anglais John Couch Adams (1819-92) déterminèrent chacun de leur côté l'orbite de l'essaim de météores Léonide et constatèrent que lui aussi correspondait à l'orbite d'une comète. L'essaim de météores Aquarides suit l'orbite de la comète de Halley et constitue un indice de la lente désintégration de la plus célèbre de toutes les comètes à la suite de ses passages répétés autour du Soleil.

La question se posa de savoir si les comètes se brisaient en essaims de météores ou si ces derniers se condensaient en comètes ; en d'autres termes, qui est à

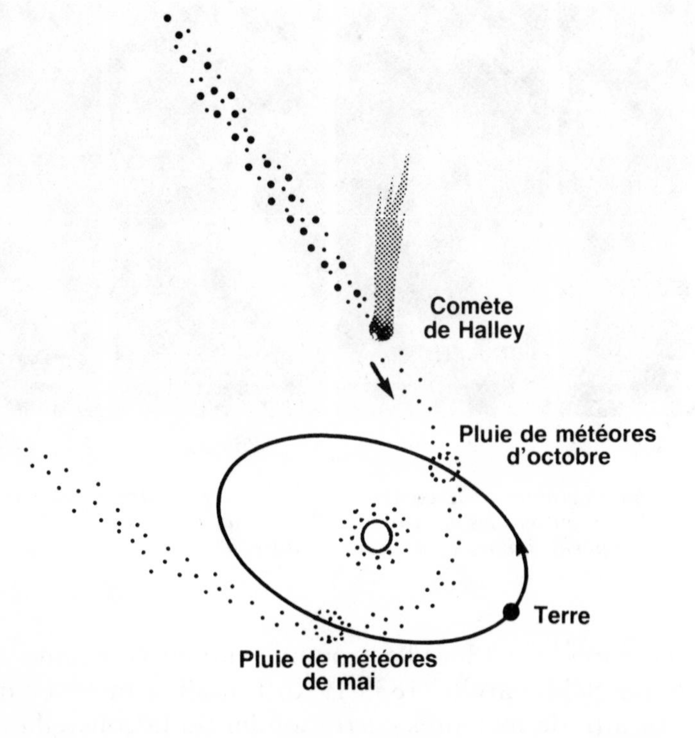

Les pluies de météores se produisent à la même époque chaque année lorsque la Terre traverse les débris d'une comète. L'illustration ci-dessus représente les pluies de météores résultant du passage de la comète de Halley autour du Soleil : celle d'octobre se produit lors d'un passage à travers la constellation du Verseau et celle de mai lors d'un passage à travers Orion.

l'origine de quoi ? Schiaparelli croyait que les essaims se situaient en fait au début du cycle.

Le problème fut résolu par un astronome autrichien, Edmund Weiss (1837-1917). Il démontra que l'Andromédide suivait l'orbite de la comète de Biela, qui s'était désintégrée dans les années 1860. Le 27 novembre 1872, une pluie d'Andromédides plus importante que les précédentes se manifesta alors que l'on attendait le passage de la comète de Biela. Il était évident que ces débris étaient ceux de la comète

En 1833 une pluie de météorites — comme celle se produisant au-dessus des chutes du Niagara, dans notre illustration — illumina le ciel nocturne du nord-est des Etats-Unis. Les météores s'abattaient au rythme de 70 par seconde, soit 250 000 par heure !

désagrégée, et Weiss baptisa l'essaim du nouveau nom de « Bielides ».

Il est certain que la Terre absorbe, à chaque fois qu'elle traverse un essaim, des millions de particules. Si la comète existe toujours ces particules perdues seront éventuellement remplacées par de nouveaux éléments de la désintégration cométaire. Mais si la comète a été réduite à l'état de simple noyau rocheux, ou si elle s'est totalement désintégrée, les particules absorbées par la Terre et par d'autres corps importants du système solaire, ne seront pas remplacés, de sorte que l'essaim se désintégrera progressivement à son tour. Ainsi, les Biélides sont devenues de plus en plus rares au fil des ans, et aujourd'hui il semble qu'il n'en subsiste presque plus.

S'il est vrai que la Terre traverse constamment des essaims de météores, qui sont des débris de comètes, se pourrait-il qu'elle heurte un jour une comète proprement dite, leurs orbites et celles des essaims étant semblables ?

Les deux phénomènes ne sont toutefois pas identiques. Les essaims de météores parcourent l'orbite cométaire en occupant une portion très étendue de l'espace, tandis que la comète elle-même occupe à tout moment un point précis de l'orbite.

Il est certain qu'une comète a une queue qui occupe un espace important, il est tout aussi certain qu'il arrive à la Terre de traverser cette queue, mais la matière constituant cette dernière est si étendue qu'elle n'exerce aucun effet notoire sur notre planète.

Précisons néanmoins que si une collision entre une comète et la Terre est peu probable, elle n'est toutefois pas impossible. Nous reviendrons ultérieurement sur cette question.

CHAPITRE VIII

LES COMÈTES LOINTAINES

Combien existe-t-il de comètes ? Il y a quatre siècles lorsqu'on posa cette question à Kepler, il répondit : « Autant que de poissons dans l'eau. »

Il ne disposait à l'époque d'aucun indice pour étayer sa réponse, car le nombre total de comètes mentionnées dans les divers rapports qui nous sont parvenus depuis l'origine de l'histoire humaine ne dépassait pas les 900.

Nous avons découvert, depuis l'époque de Kepler, un nombre considérable de nouvelles comètes, surtout depuis l'invention du télescope — on en enregistre en moyenne une nouvelle toutes les deux ou trois semaines.

Il n'en demeure pas moins vrai que les comètes dont nous avons connaissance à l'heure actuelle ne constituent en réalité qu'une infime partie de celles qui évoluent dans l'immensité de l'espace. Les comètes les plus grandes ont de longues orbites qui s'étendent bien au-delà du domaine des planètes, et les vastes étendues se situant à cette distance sont peut-être la demeure originale de ces corps célestes.

Un astronome tchèque, Lubos Kohoutek, décela en 1973 une comète qui approchait de notre planète alors qu'elle se trouvait encore au-delà de l'orbite de Jupiter. Le fait qu'elle soit visible de si loin ne s'expliquait

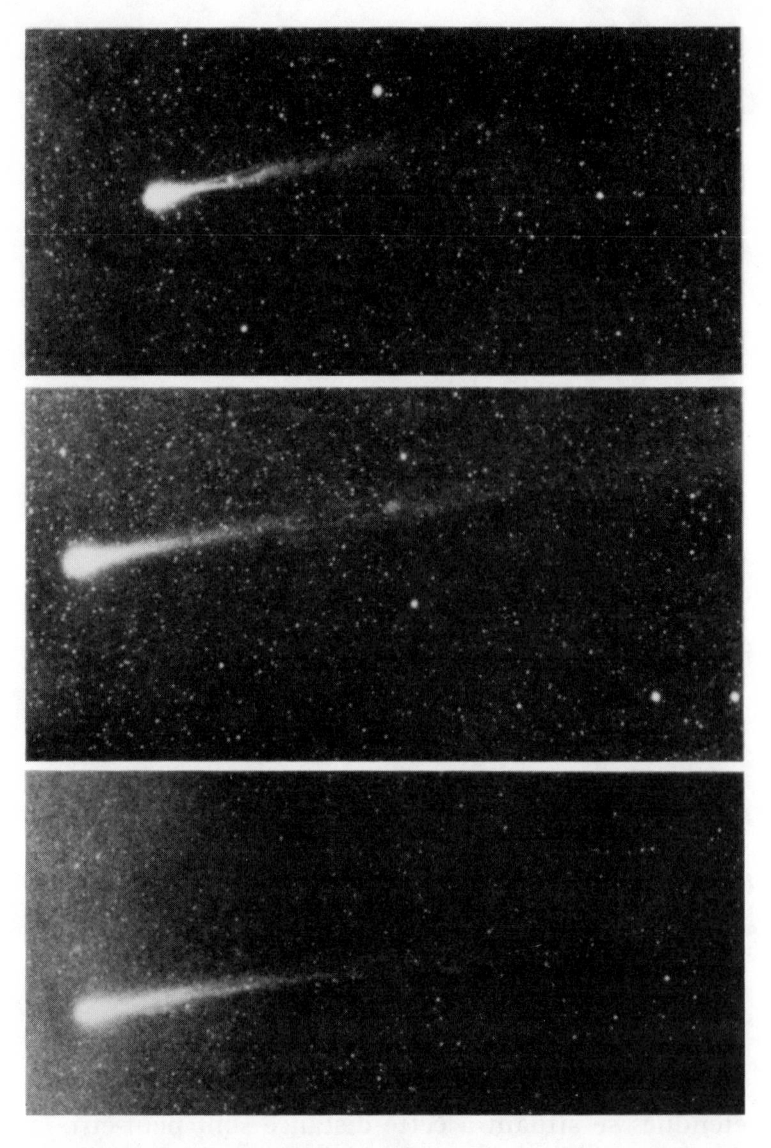

L'étude de la comète de Kohoutek en 1973 — dont voici trois photographies, propriété de l'université d'Arizona — permit aux astronomes d'estimer la période nécessaire à cette comète pour accomplir une orbite complète autour du Soleil — soit 35 000 ans.

que d'une manière : il devait s'agir d'une très grande comète et par conséquent d'un nouveau corps céleste arrivant des profondeurs de l'espace. Il la suivit tout au long de son passage autour du Soleil et lors de son trajet de retour vers l'espace lointain.

La partie de trajectoire observée était suffisante pour permettre de calculer son orbite complète avec une précision raisonnable. Celle-ci s'avéra la plus énorme jamais évaluée pour un corps céleste évoluant dans le système solaire.

Au périhélie, la comète de Kohoutek s'approche à quelque 35 millions de kilomètres du Soleil. Cette distance est inférieure à la moitié de l'approche de la comète de Halley, de la planète Mercure ou encore de la comète de Encke. Pourtant la comète de Kohoutek n'est pas une gratte-soleil.

A l'autre extrémité de son orbite, à l'aphélie, soit en son point le plus éloigné, elle se situe à quelque 535 000 kilomètres du Soleil. Une distance 102 fois supérieure à celle de la comète de Halley à son périhélie. La comète de Kohoutek met plus de 200 000 ans à parcourir cette immense orbite.

L'aphélie de la comète de Kohoutek ne doit pas être considérée comme une limite. Il n'est pas exclu que des comètes évoluent à des distances encore plus éloignées du Soleil. L'étoile la plus proche, Alpha du Centaure, se situe à quelque 4,3 années-lumière. C'est-à-dire à une distance que la lumière mettrait 4,3 ans à parcourir, or elle se déplace à une vitesse égale à près de 300 000 kilomètres/seconde.

Alpha du Centaure évolue donc à environ 40 millions de millions de kilomètres.

Tout objet se trouvant à deux années lumières du Soleil (soit à 19 millions de kilomètres) est encore soumis à son attraction. Le Soleil en serait donc plus proche que ne pourrait l'être Alpha du Centaure, et nulle autre étoile ne pourra jamais rivaliser avec le

La comète diurne de 1910 se manifesta la même année que celle de Halley. Elle est représentée ici, probablement au crépuscule, en Algérie. La comète apparut en janvier, mais ne fut à aucun moment aussi brillante dans l'hémisphère nord que la comète de Halley.

Soleil sur le plan de la force d'attraction exercée sur cet objet.

Un objet qui se situerait à deux années-lumière serait 37 fois plus éloigné que la comète de Kohoutek à son aphélie. Un autre moyen d'exprimer cela consisterait à dire que la comète de Kohoutek ne rétrograde jamais à plus d'1/18 d'année lumière du Soleil.

L'astronome estonien Ernst Julius Opik (1893-) démontra ce point en 1930, lorsqu'il spécula l'existence de comètes tournant autour du Soleil à des distances aussi importantes. L'idée fut reprise en 1950 par l'astronome hollandais Jan Hendrik Oort (1900-).

Oort fit remarquer qu'il existait peut-être des comètes tournant autour du Soleil à des distances égales à 1 ou 2 années lumières. (D'aucuns affirment qu'il y aurait jusqu'à 100 000 millions de comètes évoluant dans ces profondeurs lointaines. Mais la masse totale de tous ces corps, si jamais il était possible de les rassembler, serait toujours inférieure à celle de la Terre.)

Oort postula que la forme des orbites de ces comètes ne serait elliptique que de très loin, de sorte qu'elles resteraient toujours très éloignées du Soleil et ne seraient donc jamais visibles de la Terre. Il s'agirait de petites masses de substances glacées d'1 à 16 kilomètres de diamètre.

Si elles n'étaient soumises à aucune influence extérieure, ces comètes lointaines parcoureraient leur orbite pendant plusieurs milliards d'années, mais elles sont soumises aux forces d'attraction des planètes les plus proches. Ces attractions ne sont pas suffisantes pour les éloigner du Soleil, mais elles provoquent des modifications mineures de leur orbite, modifications susceptibles de s'accumuler avec le temps. Certaines comètes lointaines pourraient ainsi être attirées, de sorte que leur mouvement s'accélérerait, et d'autres repoussées de sorte que leur mouvement se ralentirait.

Celles dont le mouvement s'accélère s'éloignent du Soleil et risquent, en définitive, d'être perdues à jamais pour le système solaire. Celles dont le mouvement se ralentit se rapprochent en revanche de l'astre du jour. S'il advient que le ralentissement soit suffisant, il est possible qu'elles se rapprochent du Soleil au point d'être affectées par ses planètes les plus distantes. Celles-ci introduiraient des modifications supplémentaires qui amèneraient les comètes encore plus près du Soleil au périhélie, ou encore qui transformeraient leurs orbites de telle sorte que les comètes ne seraient jamais très éloignées du Soleil, même à l'aphélie.

Les comètes, selon la conception de Oort, sont distribuées autour du Soleil selon une énorme coquille sphérique. Cette vision paraît plausible, car les nouvelles comètes — celles qui ont des orbites elliptiques très longues — peuvent provenir de n'importe quelle région du ciel. Les planètes elles-mêmes se situent presque toutes dans le même plan. En d'autres termes, toutes les orbites planétaires s'intégreraient dans une immense boîte étroite évoquant celle dans lesquelles on transporte des pizzas.

Les comètes ne tiendraient pas dans une telle boîte. D'aucunes se déplacent à angle droit par rapport au plan planétaire général ou dans des directions opposées au mouvement planétaire général. Vues d'au-dessus du pôle Nord terrestre, toutes les planètes tournent autour du Soleil dans le sens inverse des aiguilles d'une montre. La comète de Halley se déplace en revanche dans le sens des aiguilles d'une montre.

Si toutes les comètes lointaines sont distribuées selon une sphère, il est probable que de temps à autres deux d'entre elles entrent en collision dans leur course autour du Soleil. Il en résultera que les deux mouvements s'annulent en partie de sorte que les deux comètes adoptent des orbites les rapprochant du Soleil.

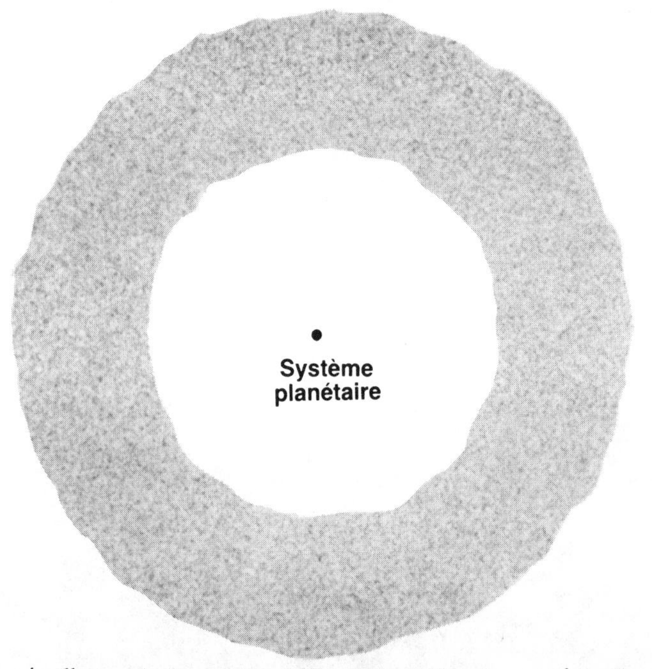

La coquille cométaire est considérée comme étant une sphère énorme aux confins du système solaire. Elle est constituée d'un fin nuage de plusieurs milliards de comètes situées à une distance de une à deux années-lumière du Soleil et des planètes, qui, proportionnellement, tiendraient dans le point noir au centre de la sphère ! Il arrive qu'une comète soit arrachée à son orbite lointaine et projetée vers le Soleil, devenant ainsi visible à certaines époques de la Terre.

Oort a estimé que, depuis la naissance du système solaire, un cinquième environ du nombre total des comètes ont quitté la coquille d'une manière ou d'une autre. D'aucunes ont échappé au système solaire et d'autres se sont rapprochées du Soleil, sous l'influence des planètes environnantes, et ont acquis une orbite à période courte autour du Soleil, avant d'être désintégrées. Il n'en demeure pas moins plusieurs milliards de comètes dans la coquille, susceptibles d'être un jour visibles dans le ciel terrestre.

En mai 1910 la comète de Halley fut aperçue à l'aube au-dessus de Paris.

CHAPITRE IX

LA NAISSANCE DES COMÈTES ET LE SYSTÈME SOLAIRE

Personne n'a jamais décelé trace de la coquille cométaire, il existe néanmoins une quantité suffisante d'indices pour que la plupart des astronomes soient convaincus de l'exactitude de la théorie de Oort. Mais si tel est le cas, d'où proviennent toutes ces comètes ?

Le sentiment général qui prédomine parmi les astronomes est que l'ensemble du système solaire est né il y a environ 4600 millions d'années d'un vaste nuage de poussière et de gaz tourbillonnant lentement, qui s'est progressivement contracté sous l'attraction de sa propre gravitation.

Les régions centrales du nuage se contractèrent, tourbillonnant de plus en plus vite, devenant de plus en plus denses et de plus en plus chaudes jusqu'à ce qu'au centre même la densité et la température autorisent des réactions nucléaires. Les noyaux des atomes d'hydrogène, représentant près de 90 % de tous les atomes constituant le nuage, se heurtèrent avec une énergie suffisante pour qu'ils se fondent en des atomes d'hélium.

Une telle fusion libère une énergie considérable, et l'ensemble de toutes les fusions fut tel que le centre du nuage se mit à scintiller. En d'autres termes, le nuage avait subi une « ignition nucléaire » et était devenu le Soleil.

Aux confins du nuage de poussière et de gaz, la matière demeurait nettement moins dense, bien sûr, et beaucoup plus froide. Des turbulences et des remous de matière se produisirent dans cette région. Lorsque des remous voisins se heurtaient, la matière les constituant entrait en collision et fusionnait, formant ainsi des corps plus grands. Ceux-ci devinrent en définitive des planètes, qui naquirent donc sensiblement à la même époque que le Soleil, mais qui n'en firent jamais vraiment partie.

Entre-temps sur le bord extrême du nuage de poussière et de gaz sphérique original se trouvait du matériau qui ne participa pas au processus de contraction. Il était trop éloigné du centre pour être suffisamment affecté par la force de gravitation et il eut tendance à demeurer là où il se trouvait. La turbulence le contraignit à se souder en petits corps glacés. Il s'agit des comètes existant toujours dans la vaste coquille qui délimite les confins du nuage original.

Selon cette théorie, les comètes lointaines présentent un grand intérêt pour les astronomes, curieux de connaître la constitution du nuage de poussière et de gaz qui entra dans la formation du système solaire. Le soleil fut au départ un excellent échantillon de ce matériau, mais il a subi au cours de ses 4 600 millions d'années d'existence une fusion d'hydrogène et a émis un vent solaire. Il est donc peu probable qu'il soit encore très représentatif de la constitution du nuage original.

Les corps intérieurs du système solaire sont totalement différents, sur le plan de la constitution, du nuage original. Les astronomes ont des raisons de croire que ce dernier était formé d'environ 90 % d'hydrogène, 9 % d'hélium, et 1 % de matériaux divers. Les corps intérieurs du système solaire furent toutefois tellement chauffés par le Soleil voisin qu'ils tendirent à perdre les éléments légers que sont l'hy-

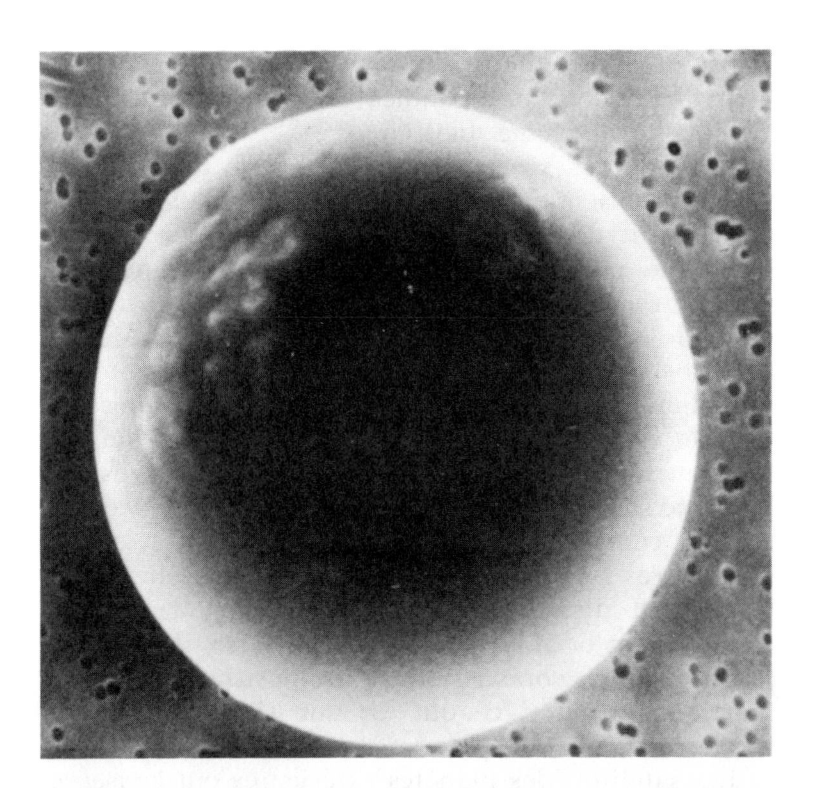

Cette particule de poussière d'une comète, collectée à haute altitude par un avion de la NASA et agrandie 7 500 fois, a environ 0,001 centimètre de diamètre. Il est possible qu'elle renferme des indices relatifs à la formation du système solaire.

drogène et l'hélium. Cette perte fut aggravée par le vent solaire, qui fut particulièrement violent aux premiers temps du système solaire, et qui balaya l'hydrogène et l'hélium vers des régions se situant au-delà de la ceinture d'astéroïdes : c'est-à-dire, la région où de multiples petits corps, ou astéroïdes, tournent autour du Soleil entre les orbites de Mars et de Jupiter.

En conséquence, les corps intérieurs du système solaire, de Mercure aux astéroïdes, sont essentiellement composés d'éléments appartenant au 1 % de substances autres que l'hydrogène et l'hélium. Ils ne nous livrent que peu d'indications sur l'état original éventuel du système solaire.

Les grandes planètes de l'extérieur du système solaire contiennent des quantités importantes d'hydrogène et d'hélium. Jupiter en particulier semble constitué presqu'entièrement de ces substances et donc être représentatif de la matière originale du système solaire. En outre, il ne s'est produit aucune réaction nucléaire au sein de Jupiter susceptible de modifier cette matière. Il n'en demeure pas moins que Jupiter est un grand corps céleste et certains indices donnent à penser que la matière le composant s'est en quelque sorte « triée » ; l'hélium étant plus concentré vers le centre, et l'hydrogène vers la surface, quant aux autres substances nous ignorons de quelle façon elles sont distribuées. Pour avoir une idée de la constitution originale du système solaire, il conviendrait que nous connaissions la composition de chaque partie de Jupiter, ce qui est une tâche quasiment impossible.

Les satellites des planètes extérieures ont conservé une partie de la matière légère qui existait à l'origine dans le nuage et n'en ont pas perdu beaucoup sous l'action du vent solaire — mais dans les premiers temps, les planètes géantes devaient avoir des températures très élevées, ce qui aurait dû affecter leurs satellites dans une plus ou moins grande mesure. En outre, les satellites ont été bombardés par de petits objets durant la première période de leur existence lors de leur formation et nous ignorons quelles modifications furent ainsi introduites.

De tous les corps du système solaire, ceux qui ont subi le moins de transformations depuis l'origine du système solaire sont les comètes lointaines. Elles sont très éloignées de toute source de chaleur et de toute perturbation significative due au vent solaire ; elles sont en fait à l'abri de toute interférence à l'exception

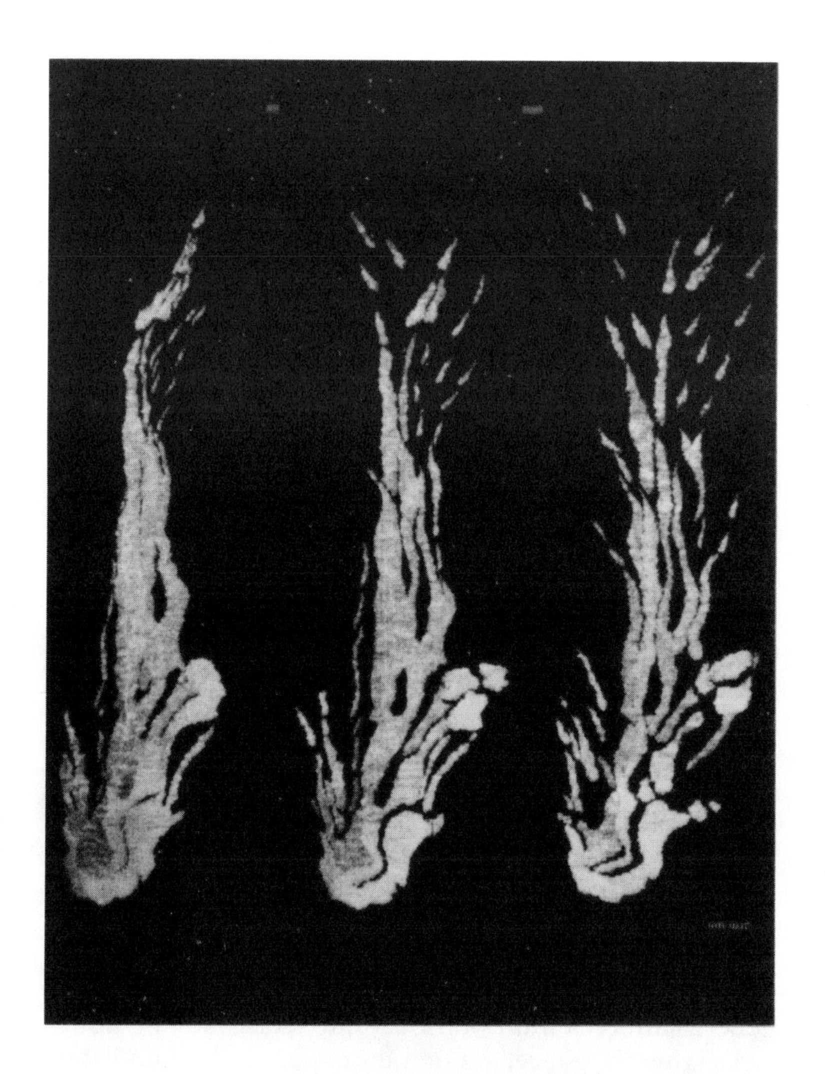

Un artiste californien contemporain, April D. May, a créé une tapisserie moderne — en coton, laine et mohair — représentant trois vues d'une comète.

d'une collision occasionnelle. Se situant dans une « glacière » depuis 4 600 millions d'années, elles sont probablement dans le même état qu'aux premiers jours.

L'ennui est que nous soyons dans l'impossibilité d'y accéder et qu'il risque de passer encore beaucoup de temps avant que nous ne soyons en mesure de les atteindre — si jamais nous y parvenons un jour.

Parfois, elles parviennent jusqu'à nous. Une comète qui pénètre la partie centrale du système solaire nous offre l'opportunité d'examiner sa structure. Une telle entreprise est rendue possible par l'étude des spectres des comètes. Il semblerait que les comètes soient composées en majeure partie de substances telles que l'eau, l'ammoniaque et le méthane. Lorsqu'elles sont chauffées par le Soleil, on détecte des fragments de molécules de ces substances. En outre, on a repéré des traces de certains métaux.

La comète de Kohoutek fut la première dont on étudia la radiation d'ondes radio. Cette investigation permit de démontrer la présence de cyanure d'hydrogène et de cyanure de méthyle.

Ceci n'est encore qu'un début. Il arrive qu'une comète passe plusieurs semaines à des distances qu'il est facile de couvrir grâce aux fusées ; il devient donc possible de réaliser une série d'études de très près. Toutes les comètes ne sont toutefois pas aussi intéressantes.

Les comètes qui ont de très petites orbites et qui se sont donc approchées souvent du Soleil sont en général altérées à un point tel que leur étude ne nous renseignerait guère. La majeure partie du matériau glacé est vaporisé et tout ce qui subsiste est au mieux un noyau rocheux.

En revanche, de nouvelles comètes provenant de la coquille cométaire lointaine, des comètes qui n'ont pas encore eu l'occasion d'être trop affectées par la chaleur du Soleil, présentent un inconvénient : leurs

La comète de Kohoutek émet diverses quantités de lumière à différents points de sa structure. Les variations furent codées à l'aide de couleurs et agrandies par ordinateur dans cette photo de 1973 prise par Skylab.

apparitions sont imprévisibles. Depuis 1882, les comètes lointaines se montrent décevantes. Ceci vaut également pour celle de Kohoutek. Sa brillance fut nettement moindre que prévue, compte-tenu de ce que sa taille laissait présager. Il semble qu'elle fut plus rocheuse et moins glacée que la plupart des autres de sorte que sa chevelure et sa queue n'étaient guère développées.

Ce dont nous avons besoin, dans l'idéal, c'est d'une comète qui n'ait pas visité trop souvent le Soleil ; qui soit brillante et dont le retour soit prévisible de telle sorte que nous disposions de temps pour préparer son observation. Il devrait s'agir en outre d'une comète à période courte, mais pas trop.

De toutes les comètes, celle de Halley est celle qui se rapproche le plus de l'idéal. Il est certain qu'elle a perdu une quantité appréciable de son matériau glacé et que sa structure n'est plus exactement semblable à ce qu'elle fut à l'origine, avant de passer à proximité du Soleil ; il en subsiste toutefois en quantité suffisante pour que nous soyons en mesure d'en dégager une information utile.

Qui plus est, et ceci est d'une importance capitale, nous savons avec précision quand la comète de Halley reviendra.

A l'heure où paraît ce livre son arrivée est proche. Elle atteindra son prochain périhélie le (ou vers le) 9 février 1986. Elle passera à 90 millions de kilomètres de la Terre le 27 novembre 1985, et à 60 millions de kilomètres le 11 avril 1986, lors de son retour du périhélie.

Jamais elle n'aura tant gardé ses distances par rapport à nous. C'est en avril 1986 qu'elle sera la plus brillante, mais les observateurs européens et américains ne seront pas gâtés : elle passera bas dans le ciel et juste avant l'aube. En novembre 1985, elle sera plus haut dans le ciel, mais plus loin de nous. Il en résulte que les habitants de l'hémisphère nord ne la verront

Il y a trente ans, un illustrateur américain imagina une culture de type « Buck Rogers » observant avec fascination le retour de la comète de Halley en 1986.

pas très bien et que rares sont les personnes vivant aujourd'hui qui auront une chance de la revoir en 2063, lors de son prochain retour.

Est-il possible que nous soyons privés de ce « petit » plaisir ? Se peut-il qu'il soit arrivé un accident à la comète de Halley depuis son dernier passage ? Apparemment non. Elle est en route et a déjà été aperçue.

Le 20 octobre 1982, des astronomes réussirent à la détecter à l'aide d'une caméra électronique fixée au téléscope de 5 mètres d'ouverture du Mt Palomar. Son amplitude était de 24,2, ce qui signifie que son éclat était égal à un quinze-millionième de celui de l'étoile la moins brillante visible à l'œil nu. A l'époque de l'observation, elle se situait à 1 600 millions de kilomètres du Soleil, dont elle était donc un peu plus éloignée que la planète Saturne.

Sommes-nous certains qu'il s'agissait bien de la comète de Halley ? Oui, sans le moindre doute. Elle se situait presque exactement à l'endroit où on s'attendait à la trouver, et depuis elle n'a cessé de devenir de plus en plus brillante tout en suivant son orbite.

L'Agence européenne de l'Espace prévoit d'envoyer une sonde, baptisée « Giotto », pour étudier la comète de Halley; l'Union soviétique et le Japon ont des projets similaires. Les Etats-Unis renoncèrent toutefois à une exploration directe. Il serait possible de modifier la trajectoire d'un Pionner Orbiter se dirigeant vers Vénus afin qu'il croise celle de la comète de Halley. En outre, un Explorer antérieur réalisera des observations d'une comète vague qui tournera autour du Soleil quelques mois avant la comète de Halley.

Quoi qu'il en soit, aussi pauvre que soit le spectacle de la comète de Halley vue de la Terre cette fois-ci (en particulier pour les observateurs de l'hémisphère nord), le vaisseau spatial sera en mesure de prendre des photos qui devraient montrer une comète d'une manière plus spectaculaire que jamais auparavant. Les spectres seront évalués avec une plus grande précision de sorte qu'il sera possible d'en apprendre plus non seulement au sujet de la composition des glaces mais encore du matériau rocheux emprisonné dans la glace et flottant dans la queue.

En outre, le noyau sera examiné, ainsi que la nature de la queue, de sorte qu'il sera possible d'étudier les modifications se produisant dans la structure cométaire lors de l'approche du Soleil. Seront également réalisées des études de sa rotation, ainsi que de tout élément susceptible de se manifester de manière inattendue et imprévisible (exemples de telles surprises : les cratères de Mars, les volcans d'Io et la structure des anneaux de Saturne).

CHAPITRE X

COMÈTES ET CATASTROPHES

Nous sommes prêts maintenant à rencontrer et presque à toucher une comète ; une seule observation réalisée à partir d'un vaisseau spatial nous en apprendra plus au sujet de ce type de corps céleste que les multiples études menées précédemment. Et pourtant, nous assistons déjà à une résurgence de la vieille peur de la comète.

Celle-ci est très différente de ce qu'elle put être par le passé, car il ne s'agit pas d'une considération superstitieuse. Il ne s'agit pas non plus de la vieille terreur biblique, car nous savons désormais que les comètes sont de petits objets. Il est hors de question que la comète influence la marée au point de produire un déluge, ou que sa queue, heurtant notre atmosphère, produise de la pluie, comme le suggéra William Whiston il y a près de trois siècles. L'idée qu'une comète nous attire vers le Soleil, comme il le prédit, est encore plus risible.

Non, le public redoute aujourd'hui l'éventualité d'une collision. Ce risque est quasiment nul, mais s'il est vrai qu'il existe une multitude de comètes, la probabilité que nous en heurtions une tôt ou tard est très élevée. S'il existe une centaine de milliards de comètes et si plusieurs milliards d'entre elles ont déjà pénétré le système planétaire depuis sa naissance, il est certain que des collisions se sont déjà produites.

Il existe en fait des traces de cratères à la surface de la Terre. La plupart sont à ce point érodés par l'action du vent, de l'eau et de la vie qu'ils sont presque imperceptibles si ce n'est d'avion, et encore grâce à la présence de lacs circulaires et d'autres indices évidents. Un exemple classique est le Cratère du Météore dans l'Arizona, qui n'est quasiment pas érodé, s'étant formé il y a à peine quelques milliers d'années dans une région où l'eau et la vie sont rares.

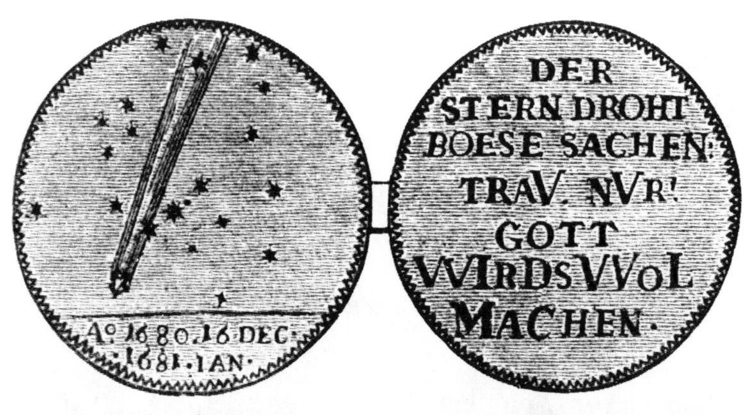

Ces pièces, distribuées par des moines en 1680, disent : « Cette étoile annonce de mauvaises choses. Placez votre foi en Dieu qui les transformera en bonnes choses. » Les capitales romaines dans l'écriture allemande datent de 1681, l'année de l'apparition de la comète. Ces médailles étaient destinées à se protéger des influences néfastes annoncées par les astrologues du XVIIe siècle.

Ces cratères sont formés par de grands météores (ou, si l'on préfère, par de petits astéroïdes).

Les comètes sont constituées de matière glacée qui n'est ni aussi dense ni aussi dure que les roches et les métaux des météores ; on aurait tendance à croire qu'une collision avec une comète ne serait pas aussi terrible qu'avec un météore. Or, ce n'est pas forcément le cas.

Le Cratère du Météore en Arizona, photographié depuis une altitude de 6 500 mètres, fut formé il y a quelques milliers d'années sous l'impact d'un petit astéroïde, et non d'une comète.

Considérons, par exemple, l'événement du 30 juin 1908. Ce jour-là, une boule de feu illumina le ciel en plein jour au-dessus d'une région forestière désertique de l'est de la Sibérie, à proximité d'un village nommé Tunguska. Il y eut une explosion prodigieuse et tous les arbres dans un rayon de trente-cinq kilomètres furent abattus. Une harde de 1 500 rennes fut anéantie. Un homme qui se tenait à 80 kilomètres de là fut assommé. Heureusement, aucun être humain ne se trouvait à proximité du point d'impact, il n'y eut donc pas de victime. Si une explosion de cette ampleur s'était produite dans une grande ville, il y aurait eu des millions de morts.

L'endroit où intervint la collision était quasiment inaccessible et aucun enquêteur ne put se rendre sur place d'autant que la Première Guerre mondiale éclata peu de temps après, suivie par la Révolution Russe et la guerre civile. Des décennies s'écoulèrent avant qu'un chercheur n'atteigne le site concerné.

On supposait que la cause de cette catastrophe était un grand météorite ; or, on n'en trouva nulle trace. Il n'y avait même pas le moindre cratère. L'objet, selon toute apparence, avait explosé dans les airs.

Mais quel corps serait capable d'exploser dans les airs et de se désintégrer sans laisser aucune trace ? Supposons que la Terre soit entrée en collision avec une petite comète. Cette dernière aurait traversé l'air rapidement et aurait été chauffée au point que toute sa substance glacée eût été aussitôt pulvérisée provoquant une énorme explosion. Il ne subsisterait rien du corps céleste si ce n'est de la vapeur, qui se mêlerait à l'atmosphère.

Il devait s'agir d'une petite comète. Les astronomes estimèrent que, pour provoquer de tels dommages, elle devait avoir un diamètre de 65 mètres. La plupart des comètes paraissent être beaucoup plus grandes, de sorte que l'explosion de Tunguska aurait été provoquée par une simple partie de comète, qui se serait détachée de la masse principale sous l'action de la chaleur solaire au périhélie. Ce fragment aurait évolué dans un premier temps parallèlement à la comète, en aurait été écarté par l'effet fusée de l'évaporation puis projeté vers la Terre. Une reconstruction de son orbite permit de supposer qu'il s'agissait vraisemblablement d'un fragment de la comète de Encke.

Si une partie de comète est capable de provoquer de tels dégâts, quelles seraient les conséquences d'une collision avec une comète proprement dite ?

Envisageons à cet égard un événement qui se produisit il y a environ 65 millions d'années. Les animaux les plus remarquables sur Terre étaient à cette époque les dinosaures. C'étaient des reptiles qui comptaient dans leurs rangs certains des plus grands et plus magnifiques animaux que la terre ait jamais portés.

Il existait maints types de dinosaures. Certains s'éteignirent et d'autres les remplacèrent, mais plusieurs espèces dominèrent la terre ferme pendant quelque 100 millions d'années. D'autres grands reptiles vivaient dans la mer, et certains volaient même à travers les airs.

Cette destruction d'une forêt de Tunguska, à l'Est de la Sibérie, en 1908, aurait été causée par l'explosion d'un fragment de comète qui s'évapora en quelques secondes avant de heurter la Terre.

Or, il y a 65 millions d'années, tous les dinosaures s'éteignirent sur un laps de temps très court. Les grands reptiles de la mer et des airs connurent le même sort, de même que de nombreuses espèces animales et même diverses sortes de créatures microscopiques. Certains biologistes estiment que 75 % des êtres vivants qui peuplaient la Terre furent décimés et que les 25 % qui survécurent étaient concentrés dans une région restreinte.

Les scientifiques ignoraient la cause de cette « Grande Extinction ». Maintes théories furent avancées, mais aucune n'était entièrement satisfaisante.

Or en 1979, un scientifique américain, Walter Avarez travaillait sur d'anciennes roches dans le centre de l'Italie et découvrit une mince section renfermant 25 fois plus d'iridium, un métal rare, que les strates supérieures ou inférieures. Il s'agissait d'une roche sédimentaire, formée de boue qui s'était petit à petit tassée et avait été enterrée et comprimée sous d'autres couches. Mais pourquoi la boue correspondant à une brève période de l'histoire renfermait-elle un taux d'iridium aussi élevé ?

Il existe des techniques très précises permettant de mesurer l'âge d'une telle section de roche, et il s'avéra que celle-ci était âgée de 65 millions d'années. Elle datait donc de l'époque où s'éteignirent tous les dinosaures. Il ne pouvait s'agir d'une simple coïncidence. Il devait exister un lien entre les deux faits.

Alvarez suggéra qu'un météorite devait avoir heurté la Terre à cette époque. Les météorites sont plus riches en iridium que la croûte terrestre, étant donné que, sur notre planète, la plus grande quantité de l'iridium se mêla au fer et se concentra au centre de la Terre, où se situe un noyau de nickel et de fer.

Le météorite devait être assez volumineux pour recouvrir des kilomètres cube de terre là où il s'écrasa. La vapeur explosa très haut dans la stratosphère et se refroidit en formant de la poussière, qui se répandit autour du globe, puis se déposa partout avec sa quantité énorme d'iridium.

Plus on creusait la question, plus cette théorie paraissait séduisante. Il s'avéra en effet que la couche terrestre correspondant à une période de 65 millions

Il y a 65 millions d'années tous les dinosaures et peut-être jusqu'à 75 % de toutes les espèces furent décimés. Cette « Grande Extinction » fut-elle provoquée par la chute de comètes sur notre planète ?

d'années était souvent riche en iridium. Qui plus est, cette même couche renfermait une concentration importante d'autres métaux, présents dans la même proportion que dans les météorites.

Mais pourquoi un tel phénomène détruisit-il les dinosaures ? Le météorite aurait formé un vaste cratère et anéanti tout ce qui l'entourait sur des kilomètres à la ronde, mais pourquoi l'ensemble de la Terre fut-il affecté ? Alvarez émit l'hypothèse que la poussière qui se répandit à travers l'atmosphère masqua la lumière du soleil pendant un temps considérable, de sorte qu'il s'ensuivit une période de ténèbres prolongée. Privée de cette lumière, la majeure partie de la vie végétale mourut, ainsi que les animaux qui se nourrissaient de plantes et par voie de conséquence, ceux qui se nourrissaient d'animaux.

Certains végétaux survécurent sous forme de graine et de racine et recommencèrent à croître lorsque la poussière se fut enfin déposée et que le soleil brilla à nouveau. Certains animaux, en particulier les petites espèces, subsistèrent en se nourrissant de plantes mortes ou mourantes, ou des carcasses des animaux décimés qui furent congelées et ainsi préservées en raison du froid qui s'installa sur Terre à la suite de la disparition du Soleil. Lorsqu'il se remit à briller, la Terre se repeupla, mais avec d'autres types d'animaux. Les mammifères et les oiseaux devinrent plus nombreux que les reptiles.

Les scientifiques ayant envisagé cette explication, la question se posa de savoir si d'autres Grandes Extinctions s'étaient produites. Celle qui décima les dinosaures fut la plus spectaculaire et la plus célèbre, mais ce ne fut pas la seule.

En fait, une étude minitieuse de l'évolution révéla que de Grandes Extinctions intervenaient tous les 26 millions d'années.

Pourquoi ces destructions sont-elles aussi régulières ? Nous ne connaissons aucun autre phénomène sur Terre — ni dans l'espace — qui se produit tous les 26 millions d'années, mettant en péril la vie sur la planète. Si l'extinction des dinosaures fut causée par la collision de la Terre avec quelque objet de l'espace, pourquoi de tels chocs interviendraient-ils tous les 26 millions d'années, si ce n'est parce qu'un élément de l'espace a une période aussi longue ?

Cette illustration de 1858 due au célèbre caricaturiste français Daumier est légendée : « Ah les comètes... elles portent toujours malheur. Il n'est pas étonnant que Madame Galuchet soit morte brusquement la nuit dernière ! »

En 1983, une suggestion intéressante fut avancée par plusieurs scientifiques américains.

Supposons qu'il existât une grande planète, ou une étoile minuscule, très vague qui tournerait autour du

Soleil à une distance si énorme que nous ne pourrions prendre conscience de son existence sans effectuer une analyse minutieuse, jamais entreprise.

Et admettons que ce corps céleste fût si éloigné qu'il possédât une orbite elliptique très longue, faisant songer à celle d'une comète. Elle s'approcherait du Soleil tous les 26 millions d'années, et affecterait le système solaire d'une manière telle que des objets de l'espace viendraient heurter la Terre.

Supposons encore qu'au périhélie, ce corps céleste traverserait la ceinture d'astéroïdes. Il perturberait alors les orbites de plusieurs centaines de milliers d'entre eux, en projetant certains vers le Soleil. L'un d'eux pourrait ainsi venir heurter la Terre et causer une Grande Extinction.

Quoi qu'il en soit, une étoile naine traversant la ceinture d'astéroïdes modifierait également les orbites des planètes, y compris celle de la Terre, et rien n'indique que semblable événement se fût déjà produit.

Mais présumons que l'orbite de notre corps céleste l'entraîne à une distance de quelque deux années-lumière du Soleil à l'aphélie et le ramène à un peu moins d'une année-lumière au périhélie. Cet objet mettrait environ 26 millions d'années pour parcourir une si gigantesque orbite.

Au périhélie, le corps céleste en question traverserait la partie la plus dense de la coquille cométaire.

Des millions de comètes verraient alors leur orbite perturbée et descendraient parmi les planètes. Des comètes brillantes apparaîtraient dans le ciel en succession rapide, pendant un millier d'années voire plus, et il est probable que certaines viendraient heurter la Terre durant cette période, engendrant des conséquences désastreuses. De tels chocs n'ont jamais totalement détruit l'ensemble de la vie, mais il s'en est fallu de peu à diverses reprises.

Lorsque les comètes apparaissent dans le ciel de

Les comètes sont depuis longtemps liées aux ténèbres de l'âme. Dans cette gravure célèbre de l'artiste allemand, Albrecht Dürer, la mélancolie est symbolisée par une comète flamboyante.

manière aussi fréquente, on est en droit de les considérer comme des présages de désastre.

Il n'est donc pas étonnant que le scientifique américain Richard A. Muller ait suggéré de baptiser ce corps céleste « Némésis », du nom de la déesse grecque personnifiant la Vengeance des dieux. Nous ne disposons d'aucune preuve de son existence, mais nous pouvons nous attendre à ce que les astronomes la recherchent en recourant à tous les nouveaux outils qui sont désormais à leur disposition.

Il n'y aurait toutefois pas lieu de s'inquiéter, même s'ils réussissaient à prouver son existence. La dernière Grande Extinction eut lieu il y a 11 millions d'années, de sorte que Némésis se trouve vraisemblablement à proximité de son aphélie (et doit donc être particulièrement difficile à détecter). La prochaine Grande Extinction ne se produirait que dans quelque 15 millions d'années !

Nous devrions être en mesure à cette époque, si la race humaine ne s'est pas détruite elle-même dans un holocauste nucléaire ou autre, d'utiliser une technologie suffisamment avancée pour surveiller toutes les orbites cométaires. Si l'une d'entre elles s'avérait dangereuse pour la Terre, les vaisseaux spatiaux de garde devraient alors la détruire à l'aide d'une bombe nucléaire, ou de toute autre arme plus sophistiquée, la convertissant ainsi en un nuage de débris rocheux qui n'apporterait à la Terre qu'une étonnante pluie d'étoiles filantes.

En fait, rien n'interdit d'avancer que cette nouvelle suggestion relative à la cause des Grandes Extinctions a déjà contribué à sauver l'humanité. La description de l' « hiver de la comète », selon laquelle la poussière libérée dans la stratosphère engendrerait une longue nuit froide sur Terre, a encouragé certains scientifiques, parmi lesquelles l'Américain Carl Sagan (1935-) à envisager ce qu'il adviendrait en cas d'explosion de bombes atomiques. (Il fut aidé en cela par ses études

des tempêtes de poussière planétaire sur Mars, que les sondes spatiales américaines avaient soigneusement observées.)

Il conclut que les bombes à hydrogène projetteraient suffisamment de poussière dans la stratosphère pour créer un « hiver nucléaire » qui serait lui-même responsable d'une Grande Extinction. Tout le monde serait perdant dans le cas d'un conflit nucléaire, les participants comme les spectateurs.

Si cette constatation renforçait les craintes de l'opinion publique et contraignait les super-puissances à signer un accord qui rendrait ce conflit impossible, la peur des comètes qui a, durant tant de siècles, fait trembler l'humanité, aurait, en définitive, contribué à sa sauvegarde.

LISTE DES ILLUSTRATIONS

AMNH	Musée américain d'histoire naturelle.
DM	*Wonders of the Heavens,* de Kenneth Heuer. New York, Dodd, Mead & Company, 1956. Autorisation accordée par l'éditeur.
HC	*Splendour of the Heavens,* éd. par T. E. R. Phillips et W. J. Steavenson. Londres, Hutchinson and Company, 1923.
HP	Permission accordée par la Bibliothèque Richard S. Perkin, Musée américain d'histoire naturelle, Planétorium Hayden, New York.
NASA	Administration nationale de l'Aéronautique et de l'Espace, Washington, D.C.
NS	Société de Numismatique américaine, New York.
OUP	*Story of the Comets,* de George F. Chambers. Londres, Oxford University Press, 1910. Permission accordée par l'éditeur.
SK	Sandra Kitt, illustratrice.
YO	Observatoire Yerkes, Williams Bay, Wisconsin.
ii	Comète de Halley, 1910, Observatoire Yerkes : AMNH.
x	Dessin de Mallet, in *Description de l'univers.* Paris, 1683 : HP.

2 Frontispice de *Description of the Comet of 1596,* de George Henischius. Augsbourg, Johann Schultes : HP.

3 *Livres de Chirurgie,* de Ambroise Paré. Paris, 1597 : OUP.

5 « Formes des comètes », extrait de *Cometographie,* de Johannes Hevelius. Danzig, Simon Reiniger, 1668 : HP.

6 Comète de Halley, 66 de notre ère, in *L'Astronomie,* de Camille Flammarion. Paris, 1880 : HC.

9 Trajectoire de la comète de Halley à travers le ciel en 1985-1986 : SK.

10 Gravure sur bois de la comète de Halley, août 1531 : NASA.

13 La Grande Comète de 1577 dans un article de Henry Norris Russel : « Le ciel en juillet », paru in *Comets,* édité par John C. Brandt. New York, *Scientific American, Inc.,* 1910. Tous droits réservés.

14 Trajectoires elliptiques et paraboliques : SK.

17 Trajectoire de la comète de Halley à travers le système solaire — 1984-2004 : SK.

18 La Comète de Halley, 1531, extrait de *L'Astronomie,* de Camille Flammarion, Paris, 1880 : HC.

19 Fac-similé de la page 900 de l'ouvrage *Astronomy* de Gregory, 1726, reproduit avec la permission du *Journal of the Royal Astronomical Society of Canada.*

20 Portrait de Edmund Halley : OUP.

21 Comète de Halley, 1456, extrait de *Theatrum Cometicum,* de De Lubieniecki, Amsterdam, 1668 : HC.

27 « L'Adoration des Mages », 1302-1304, de Giotto : HP.

28 Comète de Halley, 1066, extrait de la Tapisserie de Bayeux : OUP.

29 Comète de Halley en 1066, extrait de *Theatrum Cometicum* de De Lubieniecki, Amsterdam, 1668 : HC.

31 Comète de Halley, 684, gravure sur bois de Michel Wohlgemuth, extrait des *Nuremberg Chronicles,* 1493 : HC.

32 Pièce hollandaise de 1577 : NS.

33 Pièce allemande de 1910 : NS.

34 « Les Ides de Mars », peinture de Sir E. J. Poynter : HC.

39 Extrait de *Le Ciel et l'Univers* de Théophile L'Abbé Moreux : AMNH.

40 *Punch,* 5 décembre 1905 : OUP.

41 Comète de Morehouse, 1908, photographie réalisée à l'Observatoire Yerkes : AMNH.

42 Gravure montrant des Chinois lors du passage de la Grande Comète de 1910, extrait de *Romance of Modern Astronomy,* Londres, Seeley, Service et Company, 1913 : HP.

43 Comète de Halley, 1910, photographie prise à l'Observatoire Yerkes : AMNH.

47 Dessins de la comète de Halley, 1835-1836, de C. P. Smyth : OUP.

48 La Grande Comète dessinée en 1861 par Warren De La Rue : HP.

51 Comète de Halley, 1910 : YO.

53 Comète de Halley, 1910, Observatoire du Mt Wilson/Palomar : AMNH.

54 Grande Comète de 1811, extrait de *Flowers of the Sky,* de R. A. Proctor. Londres, Sampson, Low, Marston, Searle, Rivington, pas daté : HP.

57 Comète de 1843 sur Paris, extrait de *The World of Comets,* d'Amédée Guillemin. New York, A. C. Armstrong and Son, 1877 : HP.

58 Comète de Donati de 1858, extrait de *Bilderatlas der Sternenwelt,* du Dr Edmund Weik. Stuttgart, J. F. Schreiber, 1888 : HP.

61 Grande Comète de 1861, extrait de *Bilderatlas der Sternenwelt,* idem.

62 Eclipse solaire : OUP.

65 Queues orientées à l'opposé du Soleil, extrait de *L'Astronomie,* de Camille Flammarion. Paris, 1880 : OUP.

68 Grande Comète de 1744, dessin de Cheseaux : HP.

69 Comète de Cheseaux à Lausanne, Suisse : OUP.

72-3 Quatorze vues de la Comète de Halley, 1910, Observatoire du Mt Wilson/Palomar : AMNH.

74 Comète de Mrkos, 1957, photographiée de l'Observatoire du Mt Wilson/Palomar : AMNH.

75 Pluie de météores : SK.

77 Pluie de météores, extrait de *Smith's Illustrated Astronomy,* de Asa Smith. Boston, Chase, Nichols and Hill, 1948 : AMNH.

81 Trois photographies de la comète de Kohoutek : NASA.

82 Comète Diurne de 1910, dessin de W. B. Gibbs, F.R.A.S., extrait du *Journal of the British Astronomical Association,* 20 (avril 1910).

85 Coquille cométaire : SK.

86 Comète de Halley, 1910, extrait de *L'Astronomie* de Camille Flammarion. Paris, 1880 : HC.

89 Microphotographie, 1979 : NASA.

91 Tapisserie, 1982, de April D. May, photographiée par Frank Talbott.

92 Comète de Kohoutek, Skylab, 1973 : NASA.

95 Retour de la comète de Halley en 1986, dessin de Matthew Kalmenoff : DM.

99 Médailles de 1680, extrait de *Popular Astro-*

nomy, vol. 18 (1910). Permission accordée par l'Observatoire Goodsell, éditeur.

100 Cratère du Météore à Winslow, Arizona, photographie de Fairchild Aerial Survey, Inc : AMNH.

103 Tunguska, Sibérie, 1908 : AMNH.

104 Dinosaure observant une comète : AMNH.

107 Dessin de Daumier : HP.

109 « Melancholia I », de Dürer, 1514 : HP.

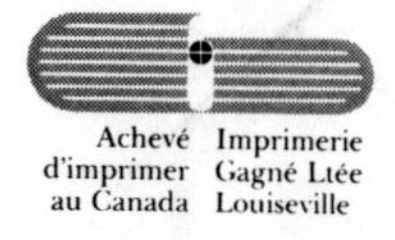

Achevé d'imprimer au Canada
Imprimerie Gagné Ltée Louiseville